Cathe - Page 99

La trahison d'Elyon

W.i.t.c.h.

Will Irma Taranee Cornelia Hay Lin

La trahison d'Elyon

Adapté par ELIZABETH LENHARD

© 2006 Disney Enterprises, Inc
© 2006 Hachette Livre, pour la traduction française
Paru sous le titre original : *The Disappearance*

Publié par Presses Aventure, une division de
LES PUBLICATIONS MODUS VIVENDI INC.,
55, rue Jean-Talon Ouest
Montréal (Québec)
H2R 2W8

Traduit de l'anglais par : *Agnès Piganiol*

Dépôt légal : 1er trimestre 2006
Bibliothèque nationale du Québec
Bibliothèque nationale du Canada

ISBN 2-89543-353-4

HEATHERFIELD...

CE NOM SIGNIFIE « CHAMP DE BRUYÈRE »...

SI C'ÉTAIT UN CHAMP DE BRUYÈRE, ON VERRAIT UN TAPIS DE PETITES FLEURS COLORÉES. MAIS IL N'Y A QUE DE L'HERBE...

...ET LE SILENCE.

IL Y A QUELQU'UN ?

ADMETTEZ-LE LES FILLES !

ELYON EST PARTIE !

QU'EST-CE QUI TE PREND, CORNELIA ? QUELQU'UN AURAIT PU TE VOIR !

OUI, MAIS IL N'Y A PERSONNE !

IL AURAIT PU Y AVOIR QUELQU'UN !

IL N'Y AVAIT PERSONNE !

BROMM

BRR-BROOOOO

OH, OH ! LE VENT SE LÈVE !

UN COUP DE TONNERRE !

ÇA RISQUE D'ÊTRE UN GROS ORAGE ! PARTONS !

DEPUIS QU'ELLE A DÉCOUVERT SES POUVOIRS, CORNELIA EST NERVEUSE !

JE LA COMPRENDS, HAY LIN !

MOI, J'AI DU MAL À CROIRE TOUT CE QUI NOUS EST ARRIVÉ !

LE LENDEMAIN, ELLES REPARLENT DES ÉVÉNEMENTS QUI ONT EU LIEU...

... ET, À LA FIN, LES DEUX MONSTRES ONT DISPARU ! QUAND ON Y REPENSE !

C'EST ELYON QUI M'A LE PLUS ÉTONNÉE !

ELLE NOUS A ATTIRÉES DANS UN PIÈGE ! LE RENDEZ-VOUS DANS LE GYMNASE ÉTAIT POUR NOUS !

J'AI PARLÉ À CEDRIC, LE GARS DE LA LIBRAIRIE.

IL PRÉTEND NE RIEN SAVOIR D'ELYON ! IL DIT QU'IL NE L'A PLUS REVUE APRÈS LA FÊTE !

ELLE A TOUT INVENTÉ ! MAIS POURQUOI ?

NOUS LE LUI DEMANDERONS QUAND ELLE REVIENDRA AU COLLÈGE !

SI NOUS LA REVOYONS ! CHEZ ELLE, PERSONNE NE RÉPOND !

QUE LUI EST-IL ARRIVÉ, WILL ?

NE ME LE DEMANDE PAS. UNE CHOSE EST SÛRE...

LA RÉPONSE EST ICI !

L'HISTOIRE DE TA GRAND-MÈRE EST VRAIE, HAY LIN ! NOUS SOMMES DEVENUES DES **MAGICIENNES** !

ÉCOUTE, HAY LIN !

TU DOIS LA CROIRE ! ELLE DIT LA VÉRITÉ !

PROUVE-MOI QUE JE SUIS UNE **MAGICIENNE** !

TU N'AS PAS BESOIN DE MOI POUR ÇA ! REGARDE !

AAH !

C'ÉTAIT **MOI** QUI...

OUI, CORNELIA ! TU AS LES POUVOIRS DE LA TERRE !

QUANT À TOI, TARANEE, TU AS CEUX DU **FEU** ! TU IMAGINES ?

HOLÀ ! MIEUX VAUT SE TENIR LOIN DE TOI !

J'AI TRÈS PEUR, WILL ! JE VEUX **COMPRENDRE** !

COMPRENDRE ?
IL LEUR FAUDRA
ENCORE DU TEMPS !

VOUS VENEZ
PRENDRE LE THÉ ?

D'ACCORD !

MOI, JE
NE PEUX PAS !

À DEMAIN,
À L'ÉCOLE !

SALUT !

À DEMAIN !

HAY LIN
AVAIT L'AIR
PRESSÉ !

ELLE S'INQUIÈTE POUR SA
GRAND-MÈRE QUI NE VA
PAS TRÈS BIEN !

BRROOOOM

Au moment où Will arrivait au pied de son immeuble avec ses camarades, de gros nuages noirs zébrés d'éclairs s'amoncelaient dans le ciel, accompagnés des premiers grondements du tonnerre.

En montant l'escalier vers le loft qu'elle occupait avec sa mère, elle s'étonnait de se sentir aussi à l'aise avec ses nouvelles amies. Elle les connaissait depuis seulement quelques jours et pourtant les longs cheveux blonds de Cornelia, le petit sourire narquois d'Irma et les ongles mal taillés de Taranee lui semblaient déjà familiers. Elle avait même remarqué que Taranee se rongeait toujours les ongles quand elle était nerveuse.

En fait, se dit Will, je pourrais presque lire dans leurs pensées.

Elle ouvrit la porte du palier du troisième étage et, pendant qu'elle laissait passer ses amies, elle observa le visage en forme de cœur de Cornelia. Les lèvres serrées, le regard dur, elle avait la même expression butée que Will lorsqu'elle se disputait avec sa mère.

Oui, se dit-elle, voilà exactement à quoi je ressemble quand je sais que j'ai tort et que Maman a raison. Mais, pour rien au monde, je ne voudrais l'admettre ! Cornelia, c'est pareil ! Elle est têtue comme une mule : elle s'obstine à nier ses pouvoirs magiques, alors que l'autre jour, dans la cour de l'école, elle a fait grimper de la vigne vierge le long de son bras comme un serpent. Qu'est-ce que c'est, si ce n'est pas de la magie... ? Mais Cornelia refuse toujours de prononcer ce mot.

Tandis que les cinq filles avançaient dans le couloir, le regard de Will se posa sur Taranee, dont les nattes parsemées de perles cliquetaient sous les oreillettes de son grand chapeau de pluie rouge. Son menton tremblait légèrement et, derrière ses petites lunettes rondes, ses yeux bruns larmoyaient. Will ressentit à son égard un élan de sympathie. Taranee, visiblement, aurait préféré être chez elle, bien à l'abri dans son labo photo ou pelotonnée devant la cheminée.

Quant à Irma, la gourmande, elle devait se demander quelle sorte de biscuits on allait lui servir pour le goûter.

Arrivée devant la porte de l'appartement, Will fouilla dans son sac à dos rose et en sortit un volumineux trousseau de clefs attaché à une petite grenouille de caoutchouc. Il s'agissait maintenant de trouver la bonne clef !

« Bon, dit-elle en remarquant l'air impatient de Cornelia, ne riez pas les filles, mais chaque fois que j'essaie d'ouvrir ma porte d'entrée je tombe sur la mauvaise clef.

— Rien d'étonnant, tu en as une telle quantité ! dit Irma en riant. Tu vis dans un appartement ou une prison ?

— Bonne question », marmonna Will en cherchant dans son trousseau.

À vrai dire, Will ne se sentait pas encore vraiment chez elle dans ce loft. Rien d'étonnant à cela ! Elle n'habitait Heatherfield que depuis une semaine. Sa mère et elle avaient emménagé dans cette station balnéaire juste avant Halloween. Jusque-là, elle avait toujours vécu à Fadden Hills, sa ville natale.

Globalement, le changement s'était révélé positif. Will avait rencontré ses nouvelles amies presque tout de suite, et sa mère semblait bien plus heureuse maintenant qu'elle vivait loin de son père. C'était d'ailleurs à cause de lui qu'elles avaient déménagé. Il avait mal accepté le divorce et, au début, il téléphonait sans arrêt, au point qu'elles avaient dû se faire inscrire sur liste rouge.

En y réfléchissant, songea Will, les sourcils froncés, voilà sans doute un trait de caractère que nous avons en commun, Papa et moi : nous ne savons pas tourner la page ! Si mon porte-clefs est surchargé c'est parce que je ne peux pas me résoudre à retirer mes clefs de Fadden Hills.

Will se demanda ce que penseraient ses nouvelles amies si elles savaient qu'elle s'accrochait ainsi à ses vieilles clefs et à son ancienne vie. Elles la jugeraient sans doute bizarre et la traiteraient de bébé.

Ou bien, se dit-elle en voyant le regard craintif de Taranee, peut-être qu'elles comprendraient... Après tout, avant de découvrir nos pouvoirs magiques on s'entendait déjà bien. Un secret comme celui-là devrait nous rapprocher encore. Chacun sait qu'un secret partagé marque souvent le début d'une grande amitié.

Forte de ce sentiment et le cœur plus léger, Will prit une résolution. O.K., se dit-elle en choisissant une des clefs dorées, si celle-ci est la bonne, je promets de me débarrasser de toutes les clefs de Fadden Hills, y compris de celle de mon casier de piscine. Elle enfonça la clef dans le trou de la serrure. Quelle chance ! Elle y entrait ! Et elle tournait ! La porte s'ouvrit du premier coup.

Will soupira d'aise. C'était tout de même bon d'être chez soi ! Elle entra, le sourire aux lèvres, et les autres la suivirent.

« Bonjour ! » lança Taranee à tout hasard.

Le haut plafond lui renvoya l'écho de sa propre voix, mais personne ne lui répondit.

« Nous sommes seules, expliqua Will. Ma mère revient rarement du bureau avant six heures. »

Il n'était que cinq heures de l'après-midi, mais à cause de l'orage et malgré ses grandes fenêtres à petits carreaux, l'appartement était plongé dans la pénombre.

Will contourna quelques cartons pour atteindre l'interrupteur et se cogna l'orteil sur un de ses cartons de CD. « Grrrr ! » grogna-elle en sautillant à cloche-pied. Cette fois, elle devait bien en convenir : si elle voulait se sentir vraiment chez elle, il faudrait qu'elle se décide à ranger !

Ses amies, cependant, semblaient indifférentes au désordre. Cornelia retira le châle orange qu'elle avait noué autour de ses épaules, Taranee ôta son chapeau et Irma s'affala sur le canapé rouge.

« Oh, je suis claquée ! fit-elle en laissant échapper un gros soupir. Je me demande ce qu'il y a en ce moment à la télé. »

Will la dévisagea un instant. Devrais-je rire ou plutôt m'inquiéter de son attitude ? se dit-elle. C'est tout de même grave, ce qui nous arrive !

Elle enleva sa vieille veste grise et se planta devant son amie.

« Tu sais, commença-t-elle, un peu hésitante, avec tout ce que nous vivons actuellement, je ne suis pas surprise que tu sois fatiguée. Mais vous ne pensez pas qu'on prend tout cela un peu trop à la légère ? »

Irma leva vers elle un œil bleu étonné, tandis que Will poursuivait :

« On devrait être terrifiées, il me semble ! Vous rendez-vous compte que nous possédons des pouvoirs *magiques* ? ! »

Cette remarque lui attira le regard courroucé de Cornelia. Mais Will se sentait obligée de continuer.

« C'est quand même incroyable, ce qui nous arrive ! À nous voir, on penserait qu'il s'agit de la chose la plus normale du monde.

Il y a à peine quelques jours, on se battait contre des monstres... une de nos amies a mystérieusement disparu... et nous sommes là, bien tranquilles, pour prendre un petit café ! »

Will jeta sa veste sur une chaise et s'emporta :

« Mais, nom d'une pipe, comment expliquez-vous tout ça, les filles ?

— Hé, dit Irma, posant ses chaussures rouges sur la table basse. Peut-être qu'on a la cervelle un peu fêlée et qu'on ne s'en était jamais aperçues.

— Parle pour toi, Irma ! » protesta sèchement Cornelia, ses longs bras maigres croisés sur sa poitrine d'un air boudeur.

Découragée, Will se dirigea vers la cuisine à l'autre bout du loft. Taranee l'accompagna et s'adossa à la fenêtre pendant que son amie s'occupait du café.

« Il y a quelque chose d'énorme derrière tout ça, reprit Will, même si je ne sais pas encore exactement *quoi*.

— Dès que la grand-mère de Hay Lin ira mieux, proposa Taranee, nous irons lui poser quelques questions. »

Will acquiesça d'un signe de tête, tout en faisant la grimace. Rien que le fait d'évoquer la grand-mère lui rappela le moment fatidique, quelques jours auparavant, où elles étaient réunies pour le thé dans l'appartement des Lin, au-dessus de leur restaurant chinois. Elles grignotaient des biscuits aux amandes et parlaient des rêves étrangement semblables qu'elles avaient faits la nuit précédente, lorsque Mme Lin était entrée à pas feutrés dans la cuisine. Elle leur avait souri à toutes les cinq, puis leur avait annoncé sans préambule qu'elles étaient désormais les Gardiennes de la Muraille !

La nouvelle avait produit l'effet d'une bombe.

C'était quoi, cette muraille... ? Will et ses amies n'y comprenaient rien !

Mme Lin leur avait expliqué que c'était une barrière dressée depuis des éternités entre la terre et la Zone Obscure du Non-Lieu, et destinée à empêcher d'horribles créatures de venir troubler la paix du monde.

Mais avec le nouveau millénium, avait-elle ajouté, la Muraille était devenue plus fragile.

Les créatures de la Zone Obscure du Non-Lieu pouvaient la franchir par des portes – des passages cosmiques, en quelque sorte.

Afin de protéger cette Muraille, un esprit tout-puissant, qui vivait dans un lieu appelé Kandrakar, avait désigné Will et ses amies (dont les initiales formaient, comme par hasard, l'acronyme W.I.T.C.H.) pour en être les Gardiennes. C'était désormais à elles de s'assurer qu'aucun de ces êtres maléfiques ne franchisse les portes. Comme armes, on leur avait donné à chacune des pouvoirs différents : ceux de la terre, du feu, de l'eau et de l'air.

Et puis il y a moi, se dit Will, ... la gardienne du Cœur de Kandrakar.

Ce mystérieux médaillon sphérique et lumineux, qu'à présent elle portait toujours sur elle, était apparemment la clef des quatre pouvoirs.

Il m'a bien servi l'autre soir, au gymnase, songea Will en frissonnant.

Ce jour-là, leur amie Elyon avait attiré Will, Hay Lin et Irma au gymnase du collège en leur racontant qu'elle avait rendez-vous avec un beau garçon nommé Cedric. Lorsque les trois filles étaient arrivées sur les lieux, elles n'avaient pas trouvé la moindre trace d'Elyon ni de Cedric !... Mais quelqu'un d'autre les attendait : un monstre reptilien et son homme de main tout aussi monstrueux, un mastodonte nommé Vathek. C'étaient les redoutables habitants de la Zone Obscure du Non-Lieu contre lesquels Mme Lin les avait mises en garde ! Des êtres puissants, gigantesques et mortellement dangereux.

L'homme-serpent avait ordonné à Vathek de jeter les trois filles au fond d'un abîme, et c'est alors que le Cœur de Kandrakar était apparu dans la main de Will. Grâce aux pouvoirs magiques du médaillon, son corps, ses vêtements, et ceux de ses amies, s'étaient miraculeusement transformés. Devenues de superbes jeunes filles ailées et pleines de hardiesse, elles s'étaient débarrassées sans peine de leurs ennemis. Mais leur combat avait déclenché un incendie dans le gymnase. Profitant de la confusion, elles avaient réussi à se sauver pendant qu'arrivaient les pompiers, et personne n'avait découvert leur identité secrète.

La victoire cependant n'était que temporaire. Will savait que d'autres batailles les attendaient. Quel genre de bataille ? Contre qui ?... Mystère !

Will et ses compagnes étaient justement réunies pour en parler et réfléchir ensemble à un plan de défense.

« Jusqu'à ce que nous en sachions davantage, mieux vaut rester prudentes et ouvrir l'œil », dit Taranee, comme si elle avait lu dans les pensées de son amie.

Will allait acquiescer quand un énorme coup de tonnerre la fit sursauter, tandis que toutes les lumières vacillaient.

« Manquait plus que ça ! Voilà les lampes qui s'éteignent ! » s'écria-telle, en roulant les yeux.

À l'autre bout du séjour, sur le canapé, Irma faisait de l'esprit.

« Ouvrir l'œil, je veux bien, mais j'ai beau écarquiller les miens, je ne vois rien ! »

Une silhouette, à côté, qui ressemblait à Cornelia, annonça :

« La lumière s'est éteinte, Einstein.

— Ne bougez pas, dit Will en cherchant

son chemin à tâtons à travers le salon. Il devrait y avoir des bougies ou une lampe de poche quelque part.

— Ne t'en fais pas, Will, dit la voix de Taranee derrière elle. Je m'en occupe. »

Et soudain, Will aperçut une lumière brillante qui dansait dans l'air. Elle fit volte-face et vit alors une toute petite boule de feu orange rebondir comme une balle dans la paume de Taranee.

« Hé ! » glapit Irma.

Cornelia, bouche bée, resta sans voix.

Will faillit s'étrangler de surprise. Mais elle remarqua, pour la première fois cet après-midi-là, que Taranee souriait enfin d'un air détendu. Elle la vit lever la main au-dessus de la tête, puis la boule de feu monta doucement comme une bulle de savon et resta en suspension dans l'air, quelques dizaines de centi-mètres plus haut.

Taranee hocha la tête, leva de nouveau la main et – *pouf !* – une nouvelle boule de feu apparut et s'éleva à son tour dans les airs.

Sous les regards stupéfaits des trois filles, les boules grésillantes se mirent à danser tout autour du loft, remplissant l'espace d'une lumière chaleureuse. Irma en vit une passer sous son nez et la toucha du bout du doigt. À sa grande surprise, elle ne ressentit aucune brûlure.

« Eh ! Ça ne brûle pas ! » s'exclama-t-elle.

Will éclata de rire. Voilà au moins de la magie qui n'a rien d'effrayant, se dit-elle en retournant vers la cuisine.

« Bon, maintenant à mon tour de vous épater ! annonça-t-elle. Ça vous tente, un petit goûter ? »

Elle n'eut pas besoin de poser la question deux fois. Irma se leva aussitôt du canapé et suivit Will, le regard gourmand. Taranee et Cornelia leur emboîtèrent le pas.

« Tu as appris de nouvelles recettes ? » demanda Irma.

Will, avec une fausse désinvolture, s'appuya alors contre la porte du réfrigérateur et dit :

« Que pouvons-nous offrir à mes invitées, James ?

— James ? s'étonna Irma, en jetant un coup d'œil derrière elle, puis tout autour de la cuisine. Ne me dis pas que tu as un cuisinier ! »

Soudain, une voix à la distinction toute britannique résonna dans la pièce.

« Peu de chose, mademoiselle Will. À moins que quelqu'un veuille bien me remplir. »

Irma poussa un cri. Son regard s'arrêta alors sur le réfrigérateur, et elle vit, stupéfaite, le distributeur de glaçons remuer au rythme de la voix de James.

« Le frigo ! hurla-t-elle en pointant le doigt vers le distributeur de glaçons. Le frigo parle ! »

Tandis que Will s'esclaffait, James poursuivit :

« Heu ! fit-il avec toute la dignité dont un réfrigérateur soit capable. Je dois attirer votre attention sur le fait que le fromage à côté des cornichons a dépassé depuis longtemps la date limite de consommation.

— Désolée, James », s'excusa Will.

Elle ouvrit vite la porte de l'appareil et retira le fromage en question. Il avait, en effet, commencé à moisir. Puis elle se tourna vers

Taranee, qui avait repris son expression craintive, et murmura :

« Il a des goûts très raffinés, tu vois.

— Le frigo parle ! » s'exclama de nouveau
Irma.

Les yeux fixés sur l'appareil, Cornelia semblait perplexe.

« Bizarre, murmura-t-elle.

— Le frigo parle ! lui répéta Irma en la sai-
sissant par les épaules et en la secouant.

— Ça va, je ne suis pas sourde ! » rétorqua
Cornelia.

L'effet fut immédiat : Irma retrouva son
calme et un large sourire éclaira son visage.

Will sourit à son tour, heureuse de son petit
succès. Au début, elle trouvait déroutant cet
appareil qui parlait. Maintenant qu'elle y était
habituée, elle l'adorait.

« Je l'ai découvert l'autre jour, expliqua-
t-elle à ses amies en retournant dans la pièce
de séjour. Je peux parler avec tous les appareils électriques ! Je leur ai donné à chacun un
nom et ils m'obéissent au doigt et à l'œil. Ils
fonctionnent même sans électricité.

— Ça fait des économies, dis donc ! s'écria

Irma avant de s'affaler à nouveau sur le canapé, face au téléviseur. Mets Canal 12. Il y a mon animateur préféré, Smart Odimat. »

Will s'accroupit devant le poste. C'était un vieux modèle. Sa mère refusait de le remplacer par un de ces nouveaux appareils à écran plat.

« Celui-ci marche très bien », lui avait-elle dit un jour où Will la suppliait d'en acheter un autre. Bien sûr, maintenant que leur poste de télévision parlait, Will n'avait plus aucune envie d'en changer, même s'il était un peu grincheux.

« Tu as entendu, Billy ? Smart Odimat ! lui demanda-t-elle aimablement.

— Oh, non, pitié ! répondit le vieux poste asthmatique d'une voix enrouée. Tu sais bien que je déteste la musique de cette émission.

— Mais... », protesta Irma.

Billy ne la laissa pas finir.

« Mes pauvres haut-parleurs ne la supportent pas ! se plaignit-il. On a perdu le goût de la belle musique, de nos jours... »

Puis il ajouta, conciliant :

« Que diriez-vous d'un bon documentaire ? »

L'écran crachota et on vit un ours traverser à pas pesants un terrain planté de conifères. On entendait au loin le son monotone d'une flûte.

« Celui-ci est sur la vie secrète des ours bruns. »

Irma faillit s'étouffer d'indignation et jeta à Will un regard furieux.

« Que veux-tu que j'y fasse ? répondit celle-ci en haussant les épaules. C'est un vieux modèle, faut pas trop lui en demander ! »

Irma poussa un grognement et se renfrogna dans le canapé en fixant l'écran et l'ours d'un air buté. La scène était si comique que Will ne put se retenir de rire.

« C'est vraiment génial, tu ne trouves pas ? reprit-elle en plaisantant. Chaque jour il y a quelque chose de nouveau !

— Super », bougonna Irma.

Mais elle n'éteignit pas le téléviseur. Le commentateur expliquait : « Durant les mois d'hiver, les grands plantigrades ont une vie sociale extrêmement restreinte... » Et Irma, se laissant gagner par le doux ronron de cette voix, sembla oublier tout le reste.

Le problème de la télévision étant réglé et Irma calmée, Will pouvait s'occuper d'autre chose. Cela tombait bien, Taranee avait justement besoin de ses services.

« Hé, Will ! » appela-t-elle en sortant une disquette de son sac à dos. Est-ce que je pourrais profiter de ton matériel exceptionnel pour imprimer mon devoir de sciences ?

— Bien sûr, répondit Will, donne-le-moi. »

Accompagnée de quelques boules de feu sautillantes, Taranee suivit Will jusqu'à sa chambre, qui, comme le reste de l'appartement, était parsemée de cartons encore pleins. Mais, par chance, l'ordinateur orange et l'imprimante étaient déjà installés. C'était une des premières choses que Will avait mises en place après le déménagement car sans Internet elle se sentait perdue.

Et, bien sûr, maintenant que son ordinateur et son imprimante parlaient, ils étaient plus divertissants que jamais. Will s'approcha de son iMac, prévoyant quelques ronchonnements de sa part.

« Réveille-toi, Georges, dit-elle gaiement. J'ai du travail pour toi !

— Du travail, du travail ! bredouilla-t-il d'un ton geignard, avec un fort accent du nord-ouest. Encore et toujours du travail ! J'ai bien le droit de me reposer, moi aussi !

— Ferme ta puce, Georges ! rétorqua l'imprimante, d'une voix grave mais nettement féminine.

— Quoi ? fit Taranee, interloquée.

— C'est toujours moi qui fais le sale boulot, se plaignit l'imprimante, que Will avait baptisée Mildred.

— Tu parles ! rétorqua Georges.

— Oui, parfaitement ! » insista Mildred.

Taranee n'en revenait pas d'entendre le matériel se chamailler ainsi.

« Ils se disputent ? » demanda-t-elle discrètement.

Will sourit, visiblement amusée.

« Je crois qu'ils sont mari et femme, dit-elle. Je pourrais les écouter pendant des heures ! »

2

Taranee rejoignit Cornelia à la table de la cuisine. Cette dernière avait préparé du café, avec l'aide d'Hélène, la cafetière électrique, et sorti une boîte de biscuits.

Taranee se versa une tasse de café, y ajouta trois cuillerées de sucre et resta un moment songeuse. Une partie d'elle-même aurait voulu éteindre ces boules de feu qu'elle venait de faire apparaître, et oublier que l'imprimante dans la chambre de Will fonctionnait non pas à l'électricité mais grâce à la magie.

Tout ça est vraiment trop bizarre ! se dit-elle. Ce n'est pas normal. D'accord, faire jaillir ces boules de feu, c'était vraiment génial, mais disposer d'un tel pouvoir a tout de même quelque chose d'effrayant.

Taranee soupira et pensa à son frère, Peter. Lui, il n'avait peur de rien. Surfeur en été, skateur en hiver, c'était le champion des acrobaties. Sur la piste de skateboard, il exécutait des loopings de trois mètres en rigolant.

Peut-être devrais-je lui demander conseil, se dit-elle. Ou bien, tout simplement, en parler à Irma ou à Cornelia.

Elle jeta un coup d'œil du côté de Cornelia, dont la mine renfrognée n'incitait guère à la confidence. Quant à Irma, elle était toujours affalée sur le canapé, absorbée par son documentaire et buvant son café à grand bruit.

Taranee comprit que Will était la seule à qui elle puisse vraiment se confier.

Will sait sans doute ce que je ressens, son-

gea-t-elle. Elle aussi est nouvelle à l'Institu-
tion Sheffield... je veux dire l'*Institut*
Sheffield. Elle n'est arrivée que deux jours
après moi. Je suis sûre qu'elle ne rirait pas si
je lui disais que – à part les boules de feu
– ces nouveaux pouvoirs me pétrifient. C'est
vrai, qui suis-je pour sauver le monde entier
des forces du mal ? Rien que l'idée de passer
mon contrôle d'histoire la semaine prochaine
me terrifie !

Perdue dans ses pensées, Taranee n'avait
même pas remarqué qu'elle avait vidé sa tasse
de café. La voix de Will la fit sursauter.

« Encore un peu de café ? »

Taranee leva les yeux et vit son amie
devant elle, la cafetière à la main.

« Non, merci, Will », répondit-elle avec un
soupir.

Cornelia ne prit même pas la peine de
répondre. Pendant un moment, on n'entendit
plus que les petits crépitements des boules de
feu et le ronron monotone de la télévision.
« Et c'est vers la fin de l'été que les ours
bruns... »

Finalement, Cornelia sortit de son silence.

« Alors, à votre avis, c'est quoi, Kandrakar ? Je veux dire... comment imaginez-vous cet endroit "au centre de l'infini" ? »

C'est ainsi que la grand-mère de Hay Lin avait décrit ce lieu mystérieux.

« Moi aussi, je m'interroge, répondit Taranee. Mais je me fais surtout du souci concernant les dangers qui nous attendent. Qu'y a-t-il derrière la Muraille ?

— Et qui étaient ces monstres contre lesquels nous nous sommes battues ? » ajouta Will en venant s'asseoir à la table avec elles.

Les trois filles réfléchirent un moment, dans une atmosphère quelque peu tendue. Puis Cornelia reprit la parole.

« Et si nous nous entraînions un peu ces jours-ci ? proposa-t-elle avant de reprendre une gorgée de café. Bien sûr, nous possédons des pouvoirs, mais nous ne savons pas encore les utiliser correctement.

— Cornelia a raison », dit Will.

Un bruit de pneus sur la chaussée mouillée lui fit alors dresser l'oreille. En se levant pour aller vers la fenêtre, elle ajouta :

« Ce serait terrible si nous provoquions une catastrophe juste par manque d'expérience.

— À propos, les filles, dit Irma, émergeant soudain de son documentaire, je voulais vous dire un truc...

— Oh non ! » s'écria Will.

Debout devant les carreaux trempés de pluie, elle regardait dehors d'un air catastrophé.

Ses trois amies coururent la rejoindre et s'agglutinèrent derrière elle.

« Que se passe-t-il ? s'alarma Taranee. Qu'est-ce que tu as vu ?

— L'homme-reptile et le gorille bleu sont revenus ? demanda Irma.

— Pire que ça ! grogna Will. Ma mère arrive ! »

Là-dessus, Will se retourna et pointa son doigt vers la dizaine de boules de feu qui sautillaient à travers le loft.

« Éteins tes lumières, Taranee, vite !

— Tout de suite ! » fit celle-ci d'une voix tremblante.

Irma se mit à taper sur les boules de feu avec le programme télé, mais les flammes résistaient. Elle jeta un regard désespéré vers Taranee.

« Fais quelque chose ! » lui souffla-t-elle.

Taranee prit une profonde inspiration. Les boules de feu étaient bien son domaine. L'ennui, c'est qu'elle ne savait pas vraiment comment les éteindre. En fait, elle ne savait pas très bien non plus comment elle les avait créées ! Elle avait plus ou moins fermé les yeux et rêvé de flammes qui dansaient. Puis elle avait ressenti une bouffée de chaleur dans les mains et – *pffft* ! – le feu avait jailli.

Mais maintenant qu'on lui demandait d'intervenir, elle était tétanisée.

« Oh, murmura-t-elle, que faire, que faire ? »

Will, qui courait comme une folle à travers la pièce de séjour, pointa un doigt autoritaire vers le téléviseur.

« Toi, Georges, éteins-toi ! » lui ordonna-t-elle.

Et, aussitôt, l'écran devint noir. Puis elle se précipita vers la chambre.

O.K. se dit Taranee. À moi maintenant ! Je n'ai qu'à faire comme Will. Elle ferma très fort les yeux, ouvrit la bouche, et commanda d'une voix énergique :

« Feu, éteins-toi ! »

Lorsqu'elle rouvrit les yeux – mauvaise surprise ! – les boules de feu dansaient toujours autour de la pièce !

« Allez, éteignez-vous, je vous dis ! » répéta-t-elle.

Puis, imitant le geste de Will, elle pointa du doigt l'une des boules récalcitrantes et cria, exaspérée :

« Tu vas t'éteindre, oui ? »

Mais les boules continuaient à brûler, comme si de rien n'était... À croire qu'elles le faisaient exprès ! Cornelia et Irma suivaient Taranee des yeux avec anxiété.

« Dépêche-toi ! » s'impatientait Cornelia.

Taranee en aurait pleuré. Elle se dirigea vers une des boules d'un pas rageur et avant même de savoir ce qu'elle faisait, elle avança les lèvres, planta son visage devant la flamme et souffla de toutes ses forces. Cette fois, la boule de feu disparut, ne laissant subsister qu'une mince volute de fumée.

« Ouf ! » soupira Taranee.

Elle se mit alors à parcourir la cuisine et la pièce de séjour en soufflant vigoureusement sur toutes les boules de feu. Il ne restait plus que celles de la chambre de Will à faire disparaître. Lorsque Taranee arriva dans la chambre, Will était en train de supplier Mildred.

« Imprimante, éteins-toi !

— Juste une minute, répondit Mildred en ronchonnant. Il ne reste plus que six lignes... cinq...

— Oh ! cria Taranee en s'attaquant aux deux boules de feu qui flottaient encore au-dessus du lit.

— Vite ! hurla Will.

— Quatre..., poursuivait Mildred, trois...

— Ça y est, je crois que j'ai tout éteint », annonça Taranee.

Les deux jeunes apprenties sorcières sortirent alors de la chambre à toute vitesse et se ruèrent vers le canapé où Irma et Cornelia étaient déjà assises. Dans la précipitation, elles se cognèrent les orteils contre les meubles et les cartons qui traînaient encore par terre.

« J'entends une clef dans la serrure ! glapit

Irma au moment où Will et Taranee se jetaient dans le canapé.

— Deux... dit Mildred dans la chambre.

— Attendez une minute, fit remarquer Cornelia. Ça paraît bizarre qu'on soit toutes assises dans le noir, non ? »

Clac !

La clef de Mme Vandom venait de tourner dans la serrure ! Taranee bondit vers la bougie parfumée qui se trouvait sur la table basse et toucha la mèche du bout du doigt. Une flamme jaillit aussitôt.

« Une ! » annonça Mildred dans la pièce voisine.

Juste au moment où les bourdonnements et les grincements de l'imprimante cessaient, la porte d'entrée s'ouvrit. Mme Vandom passa la tête, scrutant la pièce avec appréhension.

« Will ?

— Hem, bonsoir, Maman ! lança sa fille, avec une certaine nervosité dans la voix.

— Bonsoir, Mme Vandom », dit Irma d'un air faussement décontracté.

Taranee, la gorge serrée, se demandait si elle avait bien éteint toutes les boules de feu.

Mme Vandom savait-elle, par hasard, que sa fille et ses amies étaient... magiciennes ?

Apparemment, non.

« Y a-t-il eu un orage ? » demanda-t-elle le plus naturellement du monde.

Sans même s'inquiéter de la réponse, elle salua toute la compagnie d'un sourire chaleureux et alla ranger son imperméable dans le placard.

Taranee essayait de se mettre à la place de Mme Vandom et de voir leur groupe à travers ses yeux. Occupées à papoter à la lueur d'une bougie autour d'un café, elles avaient vraiment l'air d'une bande d'ados tout à fait ordinaires et personne ne pouvait se douter que, deux minutes plus tôt, elles s'adonnaient à la magie.

Si *ça*, ce n'est pas magique, songea Taranee, je ne sais pas ce que c'est !

3

Après avoir quitté ses amies devant l'immeuble de Will, Hay Lin partit d'un bon pas en direction du *Dragon d'Argent*, le restaurant que ses parents possédaient depuis qu'elle était toute petite. Mais presque aussitôt, elle ralentit inconsciemment son allure. Tout en marchant, elle se mit à observer chaque fissure du trottoir d'un air pensif, puis, négligemment, à donner un petit coup de la pointe du pied droit sur chacune d'entre elles.

Bientôt, son pied gauche fit la même chose, si bien qu'une minute plus tard elle n'avait pas dépassé le premier pâté de maisons. Elle se rendit compte, alors, qu'elle traînait les pieds.

Cette lenteur n'avait rien d'extraordinaire à première vue, mais pour Hay Lin, ce n'était pas tout à fait normal... Ça ne lui ressemblait pas de traîner les pieds. Elle était plutôt du genre à sautiller, à courir d'un pas léger – léger comme l'air dont elle avait maintenant les pouvoirs – et toujours d'une énergie débordante.

Mais, ce jour-là, elle manquait totalement d'entrain. Sa grand-mère était très malade : depuis une semaine, elle n'avait pas confectionné ses fameux raviolis chinois – la spécialité du *Dragon d'Argent* – et depuis trois jours, elle ne sortait plus de son lit ! Hay Lin s'inquiétait d'autant plus que la vieille dame approchait des quatre-vingt-dix ans. Elle savait qu'à cet âge, chaque maladie représentait un danger.

Dès qu'elle se laissait aller à songer à tout ça, ses yeux s'embuaient de larmes et ses lèvres commençaient à trembler. Elle avait beau s'efforcer de ne pas y penser, elle ne parvenait cependant pas à maîtriser la tristesse qui montait en elle. Quand les gros nuages qui grondaient au-dessus de sa tête finirent par crever, elle n'essaya même pas d'accélérer le pas et continua à marcher en traînant les pieds tandis que les gouttes de pluie mouillaient ses longs cheveux noirs.

Finalement, elle arriva au restaurant. Il était fermé tout l'après-midi, entre le déjeuner et le dîner, et la salle à manger semblait étrangement calme.

« Il y a quelqu'un ? » fit-elle d'une voix timide.

Pas de réponse. Elle se dirigea vers l'escalier, près de la cuisine, qui menait à leur confortable appartement.

« Maman ? Papa ? appela-t-elle en montant les marches. Vous êtes là ? »

En haut de l'escalier, elle entendit la voix

douce de son père. Mais ce n'était pas à elle qu'il s'adressait. Debout au milieu du couloir, il parlait avec un monsieur à la moustache grise, le Dr Tompkins – le médecin de sa grand-mère.

« Qu'en pensez-vous, docteur ? » demandait-il.

Hay Lin recula contre le mur vert clair et retint son souffle. Son père lui tournait le dos et ignorait qu'elle était là. Sans savoir pourquoi, elle ne pouvait se résoudre à interrompre la conversation.

« La grippe du mois dernier l'a quelque peu affaiblie, reconnut le Dr. Tompkins. Elle a du mal à récupérer.

— Je vois », fit le père de Hay Lin.

Il regarda ses pieds.

« Les médicaments ne serviront pas à grand-chose, poursuivit le Dr. Tompkins. La vérité, c'est que votre mère est très âgée, et je ne vous cacherai pas qu'elle paraît bien fatiguée. »

Le docteur lui posa la main sur l'épaule en signe d'encouragement, puis ajouta :

« Nous continuerons tous les traitements.

Mais restez près d'elle ! C'est ce dont elle a le plus besoin en ce moment. »

En entendant ces mots, Hay Lin sentit son estomac se serrer. À en croire le docteur, il n'y avait donc plus rien à faire...

Tandis que son père remerciait le médecin, elle crut qu'elle allait se trouver mal. C'est alors que le Dr Tomkins l'aperçut.

« Oh, dit-il, bonjour, jeune fille ! »

Son père se retourna brusquement.

« Hay Lin ! » s'écria-t-il.

Il la vit toute mouillée dans son manteau bleu matelassé et aperçut la flaque qui se formait à ses pieds.

« Tu es trempée ! Cours vite te changer, sinon tu vas prendre froid. »

Hay Lin essaya de retenir son regard. Son père cherchait visiblement à cacher son émotion. En fait, il était très sensible, et elle savait qu'il souffrait. Mais j'imagine qu'il n'est pas d'humeur à en parler, se dit-elle tristement. Et elle hocha simplement la tête.

« D'accord, Papa », acquiesça-t-elle.

Elle retira ses ballerines violettes, ouvrit la fermeture éclair de son manteau, puis se dirigea vers sa chambre. Au moment où elle passait devant la porte de sa grand-mère, une voix rauque parvint à ses oreilles. On aurait dit le doux chant d'un criquet.

« Un chaud vent du sud serait plus efficace qu'un sèche-cheveux.

— Grand-mère ! »

Hay Lin s'arrêta puis entra dans la pièce de la malade en retirant son manteau. Sa grand-mère jeta alors un coup d'œil vers le couloir pour s'assurer qu'elles étaient bien seules, puis lui dit d'un air entendu :

« Allez, maintenant que ton père est parti, montre-moi comment tu utilises tes pouvoirs. »

Pour la première fois ce jour-là, Hay Lin éprouva un élan de joie. Grand-mère plus la magie, se dit-elle en riant, voilà, je crois, la bonne formule... Elle jeta son manteau et son sac sur une chaise, s'approcha du lit, puis ferma les yeux et se concentra. Elle imagina ensuite une brise fraîche qui lui caressait les joues et soulevait les longs cheveux blancs de sa grand-mère. Puis elle déclencha une légère tornade qui se mit à tourner autour d'elle en se renforçant progressivement.

Ça y est ! se dit-elle en souriant. Involontairement, elle arrondit les bras au-dessus de la tête, puis poussa un petit cri aigu en voyant ses nattes mouillées s'enrouler autour de son torse et sa mini-jupe couleur prune flotter au vent. C'est alors qu'une merveilleuse sensation de légèreté l'envahit – et, malheureusement, sa grand-mère ne pouvait pas s'en rendre compte.

Elle eut l'impression de s'élever vers le ciel comme un ballon vaguement relié à la terre par une corde... ou comme si elle vivait parmi les nuages.

Elle se sentait en état d'apesanteur... aussi légère que l'air.

Mais, comme toujours, la magie finit par se dissiper. Et lorsque Hay Lin sentit ses nattes – maintenant sèches et soyeuses – retomber sur ses épaules, elle sut que le moment magique était terminé.

Elle ouvrit les yeux et sourit à sa grand-mère.

« Qu'en penses-tu ? lui demanda-t-elle.

— Ha-ha ! s'écria la vieille dame en

applaudissant de toute la force de ses faibles mains. Magnifique ! »

Hay Lin s'agenouilla à côté du lit et sourit pendant que sa grand-mère lui caressait les cheveux. De près, elle fut frappée par la mauvaise mine de la malade. Le cheveu terne et clairsemé, le teint pâle, la pauvre femme semblait bien petite et fragile dans sa grande robe de chambre matelassée verte. Pourtant, la main fraîche et sèche posée sur la tête de Hay Lin donnait encore une impression de puissance, tout comme les paroles que sa grand-mère prononça.

« Tu me parais particulièrement douée, ma petite fille, déclara-t-elle, et je prévois pour toi un brillant avenir. »

Puis elle déplaça sa main et pinça doucement la joue de Hay Lin.

« Mais d'abord, tu dois prendre quelques kilos, si tu ne veux pas que le vent du nord-ouest t'emporte !

— Le vent est mon ami, Grand-mère », répondit Hay Lin en riant.

Puis, retrouvant tout son sérieux, elle demanda d'une voix douce :

« Comment te sens-tu, aujourd'hui ?

— Bof ! fit sa grand-mère en se renfonçant dans ses oreillers. Disons que j'ai connu des jours meilleurs. »

Là-dessus, la vieille dame essaya de détourner la conversation sur un autre sujet.

« Et les autres Gardiennes de la Muraille ? demanda-t-elle. Comment vont-elles ?

— Très bien, Grand-mère. »

À vrai dire, Hay Lin ne pensait pas vraiment à ses amies. Elle sentit soudain sa gorge se nouer, et d'une voix qui trahissait ses craintes, elle demanda :

« Mais tu vas guérir, n'est-ce pas ?

— Bien sûr ! Ne t'inquiète pas pour ça. Je prévois une grande amélioration. Tiens, aide-moi à m'asseoir, ma petite Hay Lin. Il y a quelque chose pour toi sous mon oreiller. »

Hay Lin se leva d'un bond et prit la vieille dame par le bras tandis que celle-ci se penchait en avant. Puis, sur un hochement de tête de sa grand-mère, elle glissa sa main sous les oreillers. Ses doigts touchèrent quelque chose de lisse et de légèrement poudreux.

« Un rouleau de parchemin ? » demanda Hay Lin.

Elle tira le papier aux bords déchiquetés et jauni, roulé dans un anneau de cuivre brillant.

« Ce document est pour toi et tes amies, dit sa grand-mère d'un ton calme. Donne-le à Will. Elle saura ce qu'elle doit en faire.

— Qu... qu'est-ce que c'est ?

— Le plan des douze portes, mon petit, répondit la grand-mère avant de se renfoncer dans ses oreillers. Ce sont les douze passages qui existent dans la Muraille et que les créatures de la Zone Obscure du Non-Lieu essaient de forcer pour envahir notre monde. »

Hay Lin n'en revenait pas. Elle déroula le délicat parchemin en écarquillant les yeux, puis retourna la grande feuille de papier et jeta un coup d'œil furtif vers la malade. Sa grand-mère était-elle en train de perdre la tête en même temps que sa santé ?...

« Mais... il n'y a rien sur ce parchemin, fit remarquer Hay Lin.

— En es-tu bien certaine ? » répondit sa grand-mère avec une étincelle dans le regard, et les yeux tellement plissés que ses pattes-d'oie étaient encore plus ridées que d'habitude.

Hay Lin jeta un nouveau coup d'œil sur le « plan ». Et, soudain, elle sentit le papier trembler légèrement dans ses mains. Avec une sorte de bruit métallique, de vagues lignes commencèrent à se dessiner.

« Oh ! » fit Hay Lin d'une petite voix aiguë.

Elle resta bouche bée en voyant les lignes devenir plus foncées. Elles semblaient s'étendre et se compliquer à chaque seconde. Elles s'arrondissaient, formaient des angles. Des ombres apparaissaient ici et là. Et, tout à coup, Hay Lin se trouva devant un paysage connu : une ville en forme de demi-hexagone qui s'étendait en éventail le long d'un front de mer. Plus qu'à un simple plan de ville, cette carte ressemblait à une photographie aérienne. Hay Lin voyait la courbe de chaque rue, le toit de chaque bâtiment, et même la petite pointe rocheuse sur la plage où se dressait le phare rayé noir et blanc.

Elle connaissait bien ce haut bâtiment cylindrique qui sentait le poisson. Elle l'avait visité au moins trois fois, lors d'excursions scolaires, et chaque fois elle avait suivi en bâillant les explications nasillardes du guide : « Ce phare est la plus ancienne construction de Heather-field. Il a épargné des naufrages à une multi-tude de navires et, aujourd'hui, il accueille les visiteurs de tous les... bla, bla, bla... »

« Mais c'est Heatherfield ! » s'écria Hay Lin.

Au même moment, la dernière rue et le der-nier bâtiment se mirent en place sur le parche-min. Automatiquement, les yeux de Hay Lin cherchèrent la partie de la ville qui lui était familière. Un des bâtiments devint soudain rose et lumineux.

« Ce point brillant, là... ? »

Elle allait dire « c'est Sheffield ? » mais sa grand-mère la devança.

« C'est le gymnase de ton école, où a eu lieu votre premier combat. C'était le premier passage. Les flammes l'ont fermé. »

Alors la vieille dame étendit le bras et, pla-çant son doigt décharné sous le menton de Hay Lin, elle tourna vers elle le visage mali-cieux de sa petite-fille. Ce face-à-face obligea Hay Lin à fixer son regard sur les yeux las de son aïeule et elle y découvrit toutes sortes d'émotions : l'amour, la lassitude, l'espoir, la nostalgie et, surtout, la détermination. Hay Lin savait que, malgré la maladie, sa grand-mère était une femme très forte. Celle-ci, manifestement, cherchait par tous les moyens à lui transmettre cette force. Et, à en juger par l'avertissement qui suivit, Hay Lin comprit qu'elle en aurait bien besoin...

« Mais les onze autres portes, reprit la vieille dame, vous devrez les fermer vous-mêmes ! »

4

Tandis que Hay Lin parlait avec sa grand-mère, quelqu'un les écoutait. Ce n'était pas un parent indiscret, ni l'un des mystérieux petits êtres qui peuplaient la chambre de Hay Lin et étaient censés la protéger du mal.

Non, c'était l'Oracle qui écoutait, l'être bon et clairvoyant qui avait nommé les cinq Gardiennes de la Muraille. Il regardait la grand-mère et la petite-fille magiciennes du haut du Temple de Kandrakar, ce palais hors du temps, dressé au cœur de l'infini, qui flottait au milieu d'une substance argentée plus légère que l'air et plus pure que l'eau.

À l'intérieur du temple, l'Oracle marchait d'un pas tranquille sur une des multiples passerelles qui sillonnaient l'immense espace. Au-dessous de lui s'étalait un bassin aux eaux claires et chaudes, planté de nénuphars. Entre le bassin et le plafond la distance semblait infinie, et les murs qui s'élevaient autour à une hauteur vertigineuse, étaient recouverts de magnifiques décorations. Tout, en ce lieu de paix, évoquait l'ordre et la beauté.

Les mains croisées à l'intérieur des larges manches de sa longue robe, l'Oracle marqua un temps d'arrêt. Tibor – le vieil homme austère qui montait toujours la garde, posté derrière son épaule gauche – s'arrêta aussi. Ses cheveux et sa barbe argentés descendaient jusqu'au bas de sa longue tunique.

Le visage de l'Oracle, lisse et jeune en dépit de son âge canonique, s'éclaira d'un sourire paisible, puis son esprit se concentra et une fenêtre verte apparut dans l'air à côté de lui. C'est à travers cette fenêtre que l'Oracle observait Hay Lin et sa grand-mère. Il fut heureux d'entendre Yan Lin, qui lui servait de messagère, expliquer à sa petite-fille pleine de vivacité que les Gardiennes devraient fermer elles-mêmes toutes les portes de la Muraille. Bien qu'effrayée par une telle responsabilité, Hay Lin ne donna aucun signe de peur ni de mécontentement.

La craintive Taranee ou l'entêtée Cornelia auraient peut-être réagi différemment, se dit l'Oracle. Mais cette réflexion n'affecta pas sa sérénité, car il savait aussi que Taranee, Cornelia et toutes les Gardiennes apprendraient bientôt à accepter leur sort de bonne grâce et à maîtriser leurs pouvoirs. Si elles-mêmes l'ignoraient encore, l'Oracle, lui, savait qu'elles avaient la magie dans le sang et dans les os. C'était leur destin, leur vocation.

Dans l'immédiat, il s'intéressait plus particulièrement à Hay Lin, que la carte intriguait au plus haut point.

« Mais les portes ne figurent pas sur cette

carte, disait-elle à Yan Lin. Comment peut-on l'utiliser ? »

Comme si elle exprimait les propres pensées de l'Oracle, Yan Lin répondit :

« Je vous l'ai déjà dit, à toi et tes amies : avec le temps, vous apprendrez tout. »

Tandis que Hay Lin continuait à fixer sa grand-mère d'un regard interrogateur, la vieille femme inclina sa tête aux cheveux argentés.

« Oui, dit l'Oracle en transmettant ses pensées à Yan Lin par télépathie, tu peux lui dire. Raconte-lui ton histoire. »

Alors Yan Lin leva les yeux sur sa petite-fille et commença son récit :

« Jadis, dit-elle de sa voix râpeuse et aiguë, j'ai été, moi aussi, Gardienne de la Muraille, bien avant toi. Comme toi, j'étais impatiente. »

Hay lin, médusée, se percha sur le bord du lit en écartant le précieux plan des douze portes de Heatherfield.

« Tu as été sorcière, toi aussi ?

— Sorcière ? répondit sa grand-mère avec un petit rire étouffé. Ce n'est pas vraiment un compliment ! Mais le mot est amusant. Non, nous ne sommes pas des sorcières, ni même des fées. »

Prenant la main de Hay Lin dans ses vieilles mains déformées, elle regarda sa petite-fille au fond des yeux.

« C'est quelque chose de bien différent. »

Le regard pétillant, Hay Lin ouvrit tout grand ses yeux en amande.

« Mais une chose est sûre, poursuivit Yan Lin allégrement, je ne suis plus rien désormais ! C'est vous qui prenez la relève, Hay Lin. »

Yan Lin sait que son temps sur la terre tire à sa fin, songea l'Oracle. D'ici peu, elle transmettra à Hay Lin son héritage. Elle abandonnera son corps fatigué et viendra résider pour l'éternité dans le Temple de Kandrakar.

Comme Yan Lin l'a expliqué aux jeunes Gardiennes la première fois qu'elle les a informées de leur destin, tous les êtres qui servent le Temple de Kandrakar sur la terre ou dans d'autres mondes reçoivent en récompense une existence éternelle dans le Temple. La mort les amène ici. Et ici, pour l'éternité, ils vivent d'art et de musique, et dorment dans des nuages roses et bleus.

Nos jeunes Gardiennes ne connaîtront pas cet avenir avant de nombreuses lunes, se dit l'Oracle. Pour ces « sorcières », jeunes et attachées à la terre, la mort est encore une chose triste. Ce sera dur pour Hay Lin quand Yan Lin la quittera. Mais elle possède en elle la force de sa grand-mère. Elle survivra.

Les réflexions de l'Oracle et la conversation entre la vieille Gardienne et son héritière furent interrompues par le père de Hay Lin qui venait de passer la tête par la porte de la chambre. Il tenait une bouteille remplie d'un liquide sombre.

« C'est l'heure de ton médicament, Maman, dit-il en entrant avec le sourire. Et pas d'histoires, s'il te plaît ! Je l'ai goûté moi-même et il est délicieux !

— S'il est si bon, répliqua Yan Lin, pourquoi ne le mets-tu pas au menu d'aujourd'hui ?

— Allons ! gronda-t-il, prenant la place de Hay Lin sur le bord du lit, tu ne vas pas faire un caprice devant ta petit-fille ! »

Yan Lin grimaça.

« Autrefois, c'était moi qui te donnais la becquée, jeune homme, plaisanta-t-elle. Mais je n'aurais jamais eu l'idée de te proposer de telles horreurs !

— Très drôle ! »

Le père de Hay Lin versa un peu de liquide brun dans une cuillère et l'introduisit dans la bouche de la malade. Celle-ci avala le sirop avec une nouvelle grimace.

« Tu vois, ça n'était pas si mauvais finalement.

— Pouah ! » fit la vieille femme.

Et elle tira la langue comme une enfant.

Cette mimique, à la fois si drôle et si poignante, émut Hay Lin. L'intuitif Oracle ressentit la même émotion, douloureuse et douce. Il posa sa main fraîche sur sa poitrine, sachant qu'à travers ce geste, il réconfortait la jeune fille à distance.

Et, en effet, tout en pleurant, elle sourit à sa grand-mère, qui lui sourit à son tour.

« Prends soin de toi, Hay Lin, murmura Yan Lin. Et, surtout, mange bien !

— Je te le promets. »

Elle se pencha pour déposer un baiser sur le front frais de la vieille dame.

« Bonne nuit, Grand-mère. »

Hay Lin sortit de la chambre et enfonça la carte, enroulée dans son anneau de cuivre, dans la poche de son manteau. L'Oracle en avait vu assez. Il fit un signe de la main et la fenêtre verte, à travers laquelle apparaissaient ses visions, disparut en ne laissant qu'un simple nuage de vapeur au léger parfum de citronnelle et de jacinthe.

Puis il se tourna vers son conseiller qui inclina la tête respectueusement.

« Ainsi, déclara l'Oracle, le plan des douze portes a été transmis.

— L'honorable Yan Lin a vraiment fait un excellent travail, Oracle ! répondit Tibor.

— Oui ! Cela signifie que sa mission est terminée.

— Je comprends.

— Tu sais ce qu'il te reste à faire, Tibor, dit l'Oracle en s'éloignant d'une démarche souple et aisée. Avertis le conseil de la congrégation. »

Tout en marchant, il revoyait Yan Lin confortablement installée dans son lit, entourée de

l'affection des siens. Après sa mort, elle s'élè-
verait à travers les cieux, et après avoir par-
couru les galaxies sans effort, elle arriverait à
la forteresse du conseil.

Dans cette enceinte en forme de stade, tous
les membres du conseil – du loyal Tibor à
l'inconstant Luba à tête de loup – se tien-
draient par la main et danseraient autour de
Yan Lin. Ce serait une danse de célébration,
de gratitude et de bienvenue.

« Oui, murmura l'Oracle tandis qu'il traversait son superbe temple, elle aura l'accueil
qu'elle a si largement mérité. »

5

Cornelia montait la colline en tenant
devant elle un bâton d'encens dont la
fumée bleue sentait le bois de santal et la
salicorne. Elle savait que ces parfums
étaient censés réconforter, mais cette fumée
ne faisait que lui chatouiller les narines.
Elle mit sa main gantée devant sa bouche

pour étouffer un éternuement, puis jeta un coup d'œil en arrière.

Comme elle, ses amies semblaient accablées par le deuil qui frappait Hay Lin. Le visage sombre, Will avait les doigts crispés sur son bâton d'encens, et Taranee, qui portait un panier de fleurs blanches, était encore plus tremblante que d'habitude. Même Irma, généralement toujours d'humeur à plaisanter, faisait une triste mine.

Pauvre Hay Lin, se dit Cornelia. L'enterrement de sa grand-mère est certainement l'un des pires moments de sa vie.

Un légère brise automnale soufflait sur la colline. Cornelia essuya discrètement une larme au coin de son œil et resserra son châle blanc autour de ses épaules. Parvenus enfin au sommet de la colline, les parents et amis de la défunte se regroupèrent autour de la tombe ouverte. Dans leurs vêtements blancs, ils faisaient penser à une assemblée d'oiseaux tristes.

« Le blanc est la couleur du deuil dans la culture chinoise, avait expliqué Hay Lin à Cornelia la veille au téléphone, d'une voix étranglée par le chagrin. La couleur de la neige. »

Et puis Hay Lin avait dû aller aider ses parents pour accueillir les nombreux membres de la famille Lin qui, depuis deux jours, venaient présenter leurs condoléances. La vieille Mme Lin était très aimée. D'après ce que Hay Lin avait dit à Cornelia, tout le monde admirait la force tranquille concentrée dans ce corps si frêle.

Si seulement les gens savaient quels pouvoirs elle possédait, songeait Cornelia. Juste avant de raccrocher, en effet, Hay Lin lui avait révélé que Mme Lin avait été, elle aussi, Gardienne de la Muraille depuis sa jeunesse ! La nouvelle, naturellement, avait ébranlé Cornelia.

C'est donc ainsi que les choses se passent, se dit-elle. Maintenant que la magie a envahi ma vie, il me faudra en assumer les conséquences jusqu'à la fin de mes jours ! Et en tant que Gardienne, je devrai, plus tard, transmettre cette magie à une autre adolescente sans méfiance.

À moins que tu ne gagnes la bataille, lui dit

une petite voix au fond d'elle-même. Si tu remportes la victoire sur les envahisseurs de la Zone Obscure du Non-Lieu, il n'y aura plus besoin de Gardiennes. Ça dépend de toi, Cornelia. Ça dépend de toi... de toi... de toi...

Cornelia essaya de chasser ces pensées obsédantes et de se concentrer sur l'enterrement. Hay Lin, émue et tremblante, se tenait debout aux côtés de ses parents, devant la tombe, tandis qu'un prêtre bouddhiste en longue robe blanche psalmodiait des prières. Il tenait le bout d'un large ruban de papier blanc dont l'autre extrémité était attachée au cercueil de Mme Lin. Lorsqu'on descendit le cercueil dans la fosse, le prêtre y jeta le ruban.

Puis les autres membres de l'assistance commencèrent à jeter leurs propres rubans en même temps que des poignées de minuscules fleurs blanches. Taranee s'avança et laissa tomber ses fleurs à son tour.

« Ces fleurs et ces rubans de papier, expliqua le prêtre, donnent l'illusion d'une neige hors saison. Il ne neige pas, et pourtant il fait froid dans nos cœurs. »

Cornelia frissonna.

Des rubans et des fleurs qui se changent en neige, se dit-elle. Après tout, pourquoi pas ? Nous vivons tant de choses étranges en ce moment !... Elle secoua la tête et frissonna de nouveau lorsque le père de Hay Lin s'accroupit par terre pour ramasser une poignée de terre et de cailloux et, avec l'expression la plus triste qu'elle ait jamais vue, les jeta dans la tombe.

Ainsi s'acheva l'enterrement.

Voilà, c'est fini ! songea Cornelia. Voilà comment, en un rien de temps, nos vies peuvent changer du tout au tout. Et pour toujours.

Seulement deux jours plus tôt, tout était encore normal – enfin aussi normal que possible depuis que les filles étaient devenues magiciennes. Le soleil brillait sur l'Institut Sheffield, et Cornelia se promenait avec Will dans la cour d'entrée. Elle s'apprêtait à annoncer une information qui allait mettre en émoi tout le collège et se réjouissait à l'avance de son petit succès.

Au moment où Hay Lin, Irma et Taranee étaient entrées dans la cour, Cornelia avait lâché :

« Vous connaissez la nouvelle ? Tout le monde ne parle que de ça !

— Quelle nouvelle ? » avait demandé Irma.

Cornelia jubilait – juste un tout petit peu – devant l'expression envieuse d'Irma, qui était généralement la première informée de tout. Pour une fois, se disait-elle, je me suis mieux débrouillée que toi !

« Il y a deux policiers chez la directrice ! »

Tandis que les filles se dirigeaient vers l'escalier de l'entrée, Hay Lin avait poussé un cri de joie.

« Pauvre Mme Knickerbocker ! avait-elle quand même ajouté. Elle est méchante, mais pas au point de mériter la prison ! »

Will avait failli s'étrangler de rire.

« Désolée de te décevoir, Hay Lin, ils ne sont pas venus pour elle. Tu n'as pas regardé le journal télévisé, ce matin ?

— Non, pourquoi ? Qu'est-ce que j'ai manqué ?

— C'est même dans les quotidiens ! avait

précisé Taranee. Un garçon de l'école a disparu ! »

Cornelia était un peu agacée de découvrir que, finalement, elle n'était pas la seule à être au courant. En tout cas, elle, elle pouvait fournir le nom du garçon.

« Andrew Hornby ! Tu vois qui c'est ?

— Qui donc ? s'était exclamée Hay Lin, excitée par cette révélation inattendue. Vous voulez dire ce beau blond de terminale ?

— Exactement, avait répondu Will. Il n'est pas revenu chez lui depuis trois jours. Depuis hier soir, on l'a officiellement décrété "personne disparue". »

Les cinq filles s'étaient tues. Même Irma ! Cornelia lui avait jeté un regard en coin. Comment ? Irma, la plus bavarde de ses copines, n'avait donc pas quelque remarque époustouflante à faire ? Pas la moindre petite raillerie ?...

Apparemment pas. En fait, elle avait l'air un peu troublée. Sous son rose à joues, son visage était moite et pâle, et elle se mordillait nerveusement la lèvre inférieure, oubliant le brillant à lèvres qu'elle y avait soigneusement appliqué.

Hay Lin aussi avait remarqué son silence.

« Hé ! Réveille-toi, Irma ! » avait-elle dit, en donnant à son amie un petit coup de coude.

Sortant un gros feutre de la poche de sa veste bleue, Hay Lin avait griffonné « Andrew » sur sa paume à l'encre violette, puis lui avait mis sa main sous les yeux.

« C'est pas celui-là qui te plaisait tant ? lui avait-elle demandé.

— C'est-à-dire que... » avait bredouillé Irma, embarrassée.

Soudain elle s'était arrêtée. Les filles étaient dans le hall de l'école, à quelques mètres de leurs casiers.

Cornelia avait soupiré. Qu'est-ce qu'ils fabriquent ? s'était-elle demandé en jetant un coup d'œil à sa montre. On va arriver en retard pour le premier cours.

« De toute façon, avait repris Irma, plissant le front de manière résolue, j'essaie depuis hier soir de vous dire quelque chose. »

Au même instant, la porte d'un bureau s'était ouverte derrière elle.

Et pas n'importe quelle porte : celle de Mme Knickerbocker ! Taranee l'avait vue aussi.

« Regardez ! s'était écriée Cornelia. Ils sortent ! »

Entraînant ses amies, elle s'était vite cachée derrière un renfoncement pour assister à la scène et, avançant prudemment la tête, elle avait aperçu la directrice qui disait au revoir à deux policiers. Vêtus de leurs gros blousons et de leurs casquettes bleues, les hommes s'étaient éloignés d'un air important.

« Merci pour tout, madame, avait dit l'un d'eux en partant. Si nous découvrons quelque chose, nous vous préviendrons.

— Je vous en serai très reconnaissante, monsieur l'agent, dit Mme Knickerbocker. Bonne chance ! »

Cornelia avait regardé Hay Lin en souriant.

« Tu vois ? Ils ne l'ont pas emmenée. »

Hay Lin avait souri à son tour d'un air satisfait, puis avait ajouté avec un rire mali-cieux :

« Peut-être une autre fois ! »

C'est alors que Mme Knickerbocker l'avait

appelée – elle les avait repérées toutes les cinq, cachées à l'angle du couloir !

« Hay Lin, peux-tu venir dans mon bureau ?

— Vous croyez qu'elle m'a entendue ? » s'était inquiétée Hay Lin.

Ses amies avaient haussé les épaules.

Il ne lui restait plus qu'à obéir à Mme Knickerbocker. Jetant vers ses compagnes un regard terrifié, elle était entrée en traînant les pieds dans le bureau de la directrice. Postée près de la porte, Mme Knickerbocker était plus imposante que jamais, avec sa choucroute tremblotante au-dessus du front et ses yeux minuscules derrière ses lunettes d'écaille. Tandis que Hay Lin se faisait toute petite pour passer devant la silhouette massive de Mme Knickerbocker, Cornelia avait entendu sa voix aiguë :

« Je vais tout vous expliquer, madame ! C'était juste une petite plaisanterie, et...

— Assieds-toi, Hay Lin... », avait alors dit la directrice.

Puis elle avait fermé la porte.

Ce que Cornelia savait maintenant, c'est que Hay Lin n'avait absolument rien à se reprocher. Mme Knickerbocker avait simplement reçu un coup de téléphone de M. Lin. Et puis, derrière la porte fermée du bureau, elle avait dû annoncer la terrible nouvelle à Hay Lin. Sa grand-mère était morte le matin même.

Maintenant, nous voici au cimetière, songea Cornelia tristement en regardant les autres membres de la famille jeter leurs poignées de terre dans la tombe. Hay Lin éclata en sanglots et tomba dans les bras de ses parents.

Si seulement nous pouvions utiliser notre magie pour chasser notre peine ! se dit Cornelia. Alors, ce ne serait pas si grave d'avoir ces étranges pouvoirs.

Cornelia soupira et jeta un coup d'œil vers Will, Taranee et Irma, toutes les trois malheureuses de voir pleurer Hay Lin.

Est-ce que cette magie les perturbe autant que moi ? se demanda Cornelia. Je sais que ça effraie Taranee. Et j'ai le sentiment que Will est mal à l'aise d'avoir des pouvoirs différents des nôtres. Et Irma ?... Elle n'est probablement pas plus troublée que si on annulait *Smart Odimat*.

Mais moi, dans la vie, j'ai besoin d'avoir les situations bien en main. J'aime la sensation d'équilibre que me donne une spirale parfaite en patin à glace. Ou ma chambre, quand elle est rangée à mon idée, même si c'est le désordre le plus complet. À présent, je ne contrôle plus rien...

Les larmes lui montèrent aux yeux. Elle regarda ses pieds, des pieds qui avaient grandi de deux tailles en une année ! Elle avait également pris huit centimètres et avait l'air encore plus maigre. *Tout* changeait. Sa meilleure amie, Elyon, avait disparu sans laisser de traces. Hay Lin était en deuil de sa grand-mère... Et, de plus, se dit-elle, personne ne m'a demandé si je voulais être Gardienne de la Muraille !

Tandis que Cornelia se lamentait sur son sort, Hay Lin les rejoignit. Elle serra Will dans ses bras.

« Merci d'être venues, les filles, murmura-t-elle d'une petite voix éraillée. Je vous aime beaucoup. »

Cornelia ouvrit la bouche pour répondre mais, ne sachant que dire, elle se tut.

Je ne sais même pas être une très bonne amie pour Hay Lin, songea-t-elle en donnant un coup de pied rageur dans une touffe d'herbe. Parce que, enfin... comment puis-je être une bonne amie « sorcière » alors que je n'ai *pas envie* d'être une sorcière ?

En plus, soupira-t-elle, depuis qu'Elyon a disparu, je n'ai personne à qui parler de tout ça.

Pour comble de malheur, son amie n'avait pas seulement disparu. Apparemment, elle avait aussi tendu un piège à Will, Hay Lin et Irma, qui avaient failli se faire tuer par d'horribles monstres !

C'était d'ailleurs ça qui tracassait le plus Cornelia : qu'Elyon puisse trahir ses amies ! Elle ne pouvait se résoudre à croire que sa meilleure amie soit capable d'une chose pareille.

Non, se dit-elle. Ce n'est pas possible.

Tout en réfléchissant, elle apercevait vaguement Hay Lin qui s'écartait de Will et, les yeux larmoyants, clignait des paupières en regardant par-dessus l'épaule de son amie.

Non, se dit à nouveau Cornelia en secouant

la tête énergiquement. Je ne peux pas croire qu'Elyon soit vraiment méchante.

« Elyon ! hurla soudain Hay Lin.

— Quoi ? ! » lâcha Cornelia.

Elle vit alors Hay Lin pointer son doigt vers le bas de la colline. Elle se retourna en suivant le regard de son amie et aperçut un arbre au tronc noueux près d'un chemin de terre, en bordure du cimetière. Quelques feuilles sèches soulevées par le vent voletaient tout autour et, à côté, deux pierres tombales étaient appuyées contre une grille de fer forgé. À part ça, l'endroit paraissait désert.

Déçue et triste, tous ses espoirs anéantis, Cornelia se tourna de nouveau vers Hay Lin qui, elle, semblait toujours apercevoir quelque chose.

« C'est impossible ! cria Hay Lin. Elyon ! »

Cornelia, troublée, jeta encore un dernier coup d'œil en bas de la colline, mais visiblement rien n'avait changé. Ses yeux s'emplirent à nouveau de larmes. Hay Lin doit avoir des hallucinations, se dit-elle tristement. Le chagrin lui brouille l'esprit. Il n'y a personne là-bas, en tout cas pas Elyon.

6

Elyon se tenait debout sous un vieil arbre au tronc noueux. À ses pieds, il n'y avait pas d'herbe, seulement de la terre, envahie de racines et de broussailles. Un vent froid ébouriffait sa frange blonde et agitait ses longues nattes.

En sentant ainsi le vent dans ses cheveux,

Elyon prit soudain conscience de quelque chose : elle ne faisait plus attention au temps depuis qu'elle vivait dans la Zone Obscure du Non-Lieu. Depuis combien de temps d'ailleurs ? Quelques jours ? Quelques semaines ?... Elle l'avait oublié, mais quelle importance ? Elle était chez elle maintenant, dans le Non-Lieu auquel elle appartenait finalement, après des années d'exil sur la Terre.

Elle goûta un instant la sensation du vent sur son visage. Elle aimait sentir les changements de temps. L'air de la Zone Obscure du Non-Lieu était sec et d'une température constante. Ni chaud, ni froid. Il ne pleuvait jamais et ne faisait jamais sombre. Bien sûr, il n'y avait pas non plus de brises parfumées, ni de soleil...

Elyon secoua légèrement la tête pour chasser ces pensées. Elle refusait d'éprouver de la nostalgie pour la vie fausse qu'elle avait menée sur Terre. *Elles* en seraient trop heureuses. Elle chantonna un petit air monocorde et ferma les yeux un moment. Lorsqu'elle les rouvrit, ses pensées négatives s'étaient envolées. Elle n'arrivait même plus à s'en souvenir. Il n'en subsistait qu'une vague trace, aussi facile à balayer que des grains de poussière sur une table.

Elle cligna des yeux paresseusement et se balança d'un pied sur l'autre. Les semelles de ses hautes bottes faisaient crisser les cailloux. Tous les bruits lui parvenaient maintenant avec une plus grande acuité : elle entendait distinctement les chenilles grimper le long du vieux tronc d'arbre. La dernière goutte de rosée du matin tomba d'une feuille et atterrit sur sa veste bleu roi avec un *ploc* sonore.

Elyon savait que ce phénomène était lié à ses nouveaux pouvoirs.

Quelques minutes plus tard, tous ses sens – pas seulement son ouïe – avaient atteint des niveaux d'intensité exceptionnels. Si une feuille lui frôlait le bras, elle le ressentait dans tout son corps. Les plaques de marbre blanc lui semblaient particulièrement éclatantes sous le soleil. Et cette brise ! Elle était remplie de voix : du joyeux chant des oiseaux qui retentissait dans le ciel, au chant apaisant des morts qui montait de la terre.

Elyon sentait ses pouvoirs magiques grandir en elle. Il était temps d'agir.

Elle regarda vers le sommet de la colline, tapissée d'une herbe épaisse et verdoyante et parsemée de tombes chinoises, puis cligna à nouveau des paupières d'un air indolent. Un fin sourire se dessina sur ses lèvres. Elle n'avait pas besoin de *leur* faire signe. Son pouvoir magique suffirait à *les* attirer vers elle.

C'était à ses *amies* qu'elle pensait... celles qu'elle avait abandonnées et qui suivaient l'enterrement dans le cimetière. Elyon regarda, impassible, Hay Lin serrer Will dans ses bras et dire : « Je vous aime beaucoup ».

La voix de Hay Lin n'était qu'un murmure, mais Elyon l'entendit aussi clairement que si elle avait été à quelques centimètres, comme lorsqu'elle lui confiait des secrets pendant les cours de sciences à l'Institut Sheffield.

Une fois de plus, Elyon ferma les yeux pour empêcher ce souvenir de s'imprimer dans sa mémoire. Puis elle le sentit s'éloigner comme un nuage de vapeur emporté par le vent.

Heureusement, car Hay Lin venait de la

remarquer. Elyon la vit se détacher de Will et pointer un doigt dans sa direction. Un mince sourire apparut à nouveau sur ses lèvres.

« C'est impossible ! criait Hay Lin. Elyon ! »

Ce cri jeta la confusion dans le groupe. Elyon ressentit les émotions de chacune des filles dans sa propre poitrine : l'agitation de Taranee, la perplexité d'Irma, l'espoir de Cornelia puis sa déception parce que son amie n'était plus là – du moins en apparence.

Elyon percevait maintenant toute la force de ses pouvoirs magiques. Une force difficile à maîtriser. Elle craignait même qu'elle ne lui échappe et ne s'envole comme un oiseau avide de liberté. Mais depuis son arrivée dans la Zone Obscure du Non-Lieu, Elyon s'était exercée. Son esprit s'était assoupli. Elle avait appris à contrôler ces pouvoirs difficiles à manier, à les façonner pour mieux s'en servir. Et son travail avait porté ses fruits. Maintenant elle savait comment se rendre invisible.

Ce qui ne l'empêchait pas d'être bien présente. Elle sentait le sol granuleux sous ses semelles et la petite brise qui lui chatouillait les narines. Mais lorsqu'elle baissa les yeux pour se regarder, elle ne vit que de la terre et des racines d'arbre. Son corps n'était tout simplement pas là.

C'est ce que ses *amies* disaient à Hay Lin. Mais Hay Lin ne voulait rien entendre.

« Elyon est là ! insistait-elle, montrant la base de l'arbre.

— Mais où ça, "là" ? demanda Will, dont le regard, dirigé vers le bas de la colline, traversait le corps d'Elyon sans le voir.

— Là, en bas ! insistait Hay Lin, la voix encore brisée par le chagrin. Je l'ai vue ! »

Hay Lin avança de quelques mètres en courant et l'appela encore une fois.

« ELYON ! » hurla-t-elle.

Elyon se garda bien de répondre. Mais Hay Lin insistait.

« Elle était là, répéta-t-elle à Will. Je le jure ! Elle ne peut pas s'être cachée si vite ! »

Will haussa les épaules et jeta un coup d'œil vers le reste du groupe.

« Allons voir ! » proposa-t-elle.

Elle descendit la colline derrière Hay Lin.

Mais Elyon n'allait pas la laisser faire. Un

simple NON, pensé avec force, suffirait à l'arrêter. Le Cœur de Kandrakar lui obéirait.

« Peut-être était-ce seulement un... », commença Will.

Soudain, elle trébucha. Elle serra très fort les paupières, leva la main et agrippa sa chevelure rousse ébouriffée.

Oui, pensa Elyon. Mon pouvoir marche.

Mais pour plus de sûreté, elle dirigea sur Will une nouvelle onde magique.

Will recula de quelques pas en chancelant.

« Will, ça va ? » s'écria Taranee.

Les quatre amies oublièrent Elyon et se retournèrent pour rattraper Will avant qu'elle ne s'effondre.

C'était tout ce qu'Elyon souhaitait. Elle pouvait laisser Will tranquille, maintenant. Les yeux fixés sur sa victime, elle fit revenir l'énergie qu'elle avait envoyée vers le haut de la colline, puis observa Will tandis que celle-ci reprenait ses esprits. Elle la vit cligner des paupières et ouvrir ses yeux bruns, desserrer ses doigts et écarter une mèche de cheveux de son front moite.

« Oui, marmonna Will lentement. Je crois que ça va. »

Elyon hocha la tête.

Et, comme en réponse à ce signe, Will adressa un vague sourire à Taranee.

« Tout va bien », soupira-t-elle.

Cornelia jeta un coup d'œil vers le pied du vieil arbre, où rôdait encore l'esprit d'Elyon. Puis, résignée, elle déclara :

« Rentrons, Hay Lin. Tu as dû te tromper. L'enterrement t'a bouleversée, c'est normal. »

Les filles commencèrent à remonter la colline en direction de la tombe. Tout en suivant ses amies, Hay Lin jeta un dernier regard par-dessus son épaule.

Hay Lin est dangereuse, se dit Elyon. Elle croit aux choses invisibles. Plus que les autres. C'est une fille très futée.

Elle sentit alors ses pouvoirs magiques resurgir en elle. Tout ce qui, jusque-là, était resté invisible réapparut : son corps, ses nattes blondes, et sa robe à larges manches en tissu souple et soyeux. En un clin d'œil, elle retrouva son apparence habituelle. Elle sourit et, cette fois, il s'agissait d'un vrai sourire.

Car la magie qui lui avait permis de lire dans les pensées et les sentiments des autres lui apprenait maintenant qu'elle n'était plus seule.

Derrière elle se tenait... le seigneur Cedric. Elyon n'avait pas besoin de se retourner pour sentir sa présence ou voir sa beauté. Elle devinait ses longs cheveux soyeux qui flottaient au vent dans son dos, et son manteau cramoisi impeccablement ajusté sur ses épaules carrées. Un sourire satisfait se dessinait sur son visage aux traits anguleux. Il la félicita :

« Excellent, Elyon », dit-il.

Une divine chaleur envahit Elyon tout entière, une sorte d'euphorie exquise, douce comme du miel... Elle rêvait d'entendre à nouveau ces paroles.

Et son vœu fut aussitôt exaucé.

« Vraiment excellent », murmura Cedric.

7

Le lendemain de l'enterrement de Yan Lin était un dimanche. Et, dans la famille de Will, chaque dimanche commençait par un brunch. C'était une tradition Vandom. Will préparait des gaufres, et sa mère des œufs brouillés au saumon fumé.

Mais la tradition ne s'arrêtait pas là. Leur

bavardage matinal obéissait aussi à un rituel. Chaque fois que Will trempait sa gaufre dans le sirop d'érable, par exemple, sa mère ne manquait pas de faire une réflexion sur le prix du précieux produit et proposait de déménager dans le Vermont. Là, au moins, disait-elle, Will aurait à sa disposition tout le sirop d'érable qu'elle souhaitait.

Will, pour ne pas être en reste, taquinait à son tour sa mère sur ses manies, notamment sur le fait qu'elle – une adulte ! – ne mangeait jamais les croûtes de son toast.

Puis toutes deux poursuivaient leur repas en silence, en parcourant le journal du dimanche. Will s'attardait sur les bandes dessinées et la page des sports (surtout pour la natation). Sa mère se réservait la mode et lisait à Will les titres de la première page.

Ces traditions dominicales n'étaient pas désagréables. Pour tout dire, Will les trouvait même plutôt sympathiques. C'était aussi un des rares moments où sa mère oubliait les fatigues d'une semaine de travail et se détendait complètement.

Ce matin-là, Will essaya d'imaginer un instant comment sa mère réagirait si elle savait que Will était Gardienne de la Muraille.

Ma position n'est pas non plus de tout repos ! se dit-elle en mâchant une bouchée de gaufre. Tantôt je suis la fille un peu empotée de Susan Vandom, sans autre souci que le fait d'être nouvelle au collège. Tantôt je suis une magicienne avec les pouvoirs du Cœur de Kandrakar qui palpitent dans mes veines !

Will essaya d'imaginer ce que ça pourrait donner dans la vie normale. Elle se vit enfilant sa veste et se dirigeant vers la porte.

« Au revoir, Maman, dirait-elle, je m'en vais fermer une autre de ces maudites portes de la Zone Obscure du Non-Lieu.

— Un soir d'école ?

— Si je n'y vais pas, répondrait-elle, ce sera la fin du monde. L'apocalypse. Pouf !... Terminé !

— Bon, d'accord, répondrait sa mère avec un haussement d'épaule. Mais dès que tu auras sauvé le monde, ma petite fille, tu dois étudier sans faute ta biologie ! »

Revenant à la réalité, Will se rendit compte qu'elle avait les doigts crispés sur le papier et que la page des bandes dessinées était toute froissée dans sa main.

« Oh là là ! » murmura-t-elle.

Elle jeta le journal sur la table.

« Est-ce qu'une de tes bandes dessinées aurait mal fini, par hasard ? » demanda sa mère avec un sourire amusé.

Will se mit à rire.

« Non, répondit-elle en se levant. Mais je crois que j'ai un peu forcé sur le sirop. J'ai trop de sucre dans le corps. Je vais aller faire un tour à vélo.

— Excellente idée, approuva sa mère en se levant pour débarrasser la table du petit déjeuner. Eh bien, bonne promenade ! Moi, je retourne faire un petit dodo. »

Et moi, je vais garder secrète ma nouvelle identité, se dit Will en allant chercher sa veste dans sa chambre. Pas la peine de se compliquer la vie encore davantage. D'abord, mes parents divorcent, ensuite Maman et moi déménageons à Heatherfield, et, pour finir, je deviens *magicienne* ! C'est vraiment trop ! Si, en plus, Maman apprenait que je suis Gardienne, elle se ferait constamment du souci, et me priverait sans doute de sorties pour toujours. Ce qui ferait tout rater.

Tandis qu'elle poussait son vélo dans l'ascenseur, Will se sentait le cœur gros.

« L'ennui, marmonna-t-elle, c'est que rien de tout ça ne me facilite la vie à Sheffield. »

Elle soupira. Arrivée au rez-de-chaussée, elle sortit son vélo dans la rue et, au moment où elle commençait à pédaler, elle se rappela soudain la première fois qu'elle s'était vue en magicienne. Elle était également à bicyclette, et en roulant elle avait aperçu le reflet de sa nouvelle silhouette dans une vitrine.

Cette vision l'avait stupéfaite. En tant que Cœur de Kandrakar, Will avait l'air bien plus âgée ! Sa tenue habituelle – jean déformé et baskets – avait fait place à des collants rayés, un haut violet qui découvrait le nombril et de hautes bottes à bout rond. Mais le plus incroyable, c'était son corps. Non seulement des ailes lui avaient poussé dans le dos, mais ses lignes s'étaient arrondies, ses jambes, allongées, et sa taille s'était amincie.

C'était génial.

Will se dirigea vers le parc de Heatherfield.

Naturellement, songeait-elle avec nostalgie, personne à Sheffield ne me verra ainsi. On me connait seulement telle que je suis dans la vie réelle.

Mais, après tout, Taranee, Irma, Cornelia et Hay Lin ne me voyaient pas autrement avant de devenir magiciennes... et elles m'aimaient bien.

Cette idée la réconforta.

Elle franchit le portail du parc. Presque aussitôt, les bruits de la rue s'estompèrent et Will retrouva la merveilleuse tranquillité d'un dimanche. Elle n'entendait plus que les pneus de son vélo sur les feuilles mortes et le petit trot des sportifs faisant leur jogging.

Elle poussa un soupir de satisfaction.

Cet endroit n'est peut-être pas si mal, finalement, se dit-elle. Le parc est vraiment agréable à cette heure matinale. La ville semble si loin !

Elle prit un chemin à travers un bosquet. Les feuillages déjà clairsemés annonçaient l'approche de l'hiver. L'air frais sentait l'humus et le feu de bois.

Brusquement, elle freina. Près d'un arbre, elle venait d'apercevoir un groupe de garçons.

« Uriah et sa bande ! murmura-t-elle. Qu'est-ce qu'ils peuvent bien mijoter ? »

L'affreux jojo de l'Institut Sheffield... Il ne manquait plus que ça pour gâcher le paysage ! Perché sur une grosse branche, il était là, avec son nez pointu, ses taches de rousseur et sa tignasse rousse, un méchant sourire aux lèvres, comme s'il s'apprêtait à bondir sur quelque chose.

Au pied de l'arbre, se tenaient ses amis – si on peut qualifier d'amis des types qui le suivaient partout comme des petits chiens et obéissaient à tous ses ordres. Kurt, un malabar à cheveux blonds, riait comme un âne et applaudissait de ses grosses mains. Laurent – aussi petit et rondelet qu'Uriah était grand et maigre – regardait son chef avec un large sourire, les mains posées sur son gros ventre. Tandis que Nigel – aux cheveux bruns mi-longs et au visage aimable – essayait de dissuader Uriah.

« Je ne crois pas que ce soit une bonne

idée, Uriah, dit-il, la tête levée vers le haut de l'arbre.

— Pour ce petit monsieur, ironisa Uriah, c'est jamais une bonne idée. Relaxe, Nigel ! Faut bien s'amuser un peu ! Si tu ne fais pas certaines choses à ton âge, quand est-ce que tu les feras ?

— Mettre un loir dans le casier de Martin n'est pas ce que j'appelle "s'amuser *un peu*" », rétorqua Nigel.

Comment ? Uriah s'apprête à attraper un loir ? Le sang de Will ne fit qu'un tour. Elle aimait les loirs presque autant que les grenouilles. Ils étaient si mignons avec leur masque noir sur les yeux et leurs allures d'écureuil !

Will savait aussi qu'un loir affolé pouvait causer de sérieux dégâts. Et Martin Tubbs ne méritait pas d'avoir son casier saccagé, même si c'était un casse-pied de première classe – surtout pour Irma qu'il poursuivait de ses assiduités. Et, en tout cas, aucun loir ne méritait d'être embêté par des imbéciles comme Uriah !

Elle leva les yeux et aperçut la pauvre bête

paniquée qui, se sentant prise au piège, galopait sur une branche en tout sens.

Will sentit la moutarde lui monter au nez. Cependant, elle n'intervint pas tout de suite. Il fallait agir avec prudence. Malgré ses airs de dur, elle savait bien qu'en réalité Uriah était un gros lâche. (Quand il avait entassé pêle-mêle le vélo de Will avec tous les autres, le jour de sa rentrée à Sheffield, un simple regard de Cornelia avait suffi à le faire reculer.) Mais mieux valait tout de même se méfier de ses réactions.

Elle poussa donc son vélo tranquillement jusqu'à un endroit situé à quelques mètres derrière le groupe et observa Uriah.

« *Grrrr* », grogna-t-il en avançant le bras pour essayer d'attraper sa proie.

Le loir n'eut pas de mal à lui échapper en sautant sur une autre branche.

« C'est même pas amusant, cria Uriah. La stupide bestiole ne veut pas se laisser prendre ! »

Alors, pour une fois, il trouva une solution intelligente. Il saisit soudain le tronc d'arbre à bras-le-corps, ce qui surprit le loir. Le petit animal s'arrêta un instant en agitant sa queue touffue et le garçon en profita pour l'attraper.

« Haha ! cria Uriah. Je te tiens ! »

Will faillit pousser un cri, mais, à ce moment-là, le loir réussit à s'échapper de la main d'Uriah et lui planta ses petites dents pointues dans le doigt.

« Aïe ! » hurla le garçon.

Tandis qu'il secouait sa main, avec le loir accroché au bout du doigt, il perdit l'équilibre et tomba à grand fracas dans un tas de feuilles.

« Ha, ha, ha ! s'esclaffa Laurent. Ça, au moins, c'est amusant ! »

Uriah lui aurait probablement administré une bonne raclée s'il n'avait pas été si occupé à crier.

« Aaah ! » hurla-t-il à nouveau.

Toujours allongé sur le dos, il continuait à agiter le bras avec le loir accroché à son doigt.

« Tu vas me lâcher, sale bête ! »

Finalement, Uriah secoua la main si vigou-reusement qu'il envoya le loir sur le tronc d'arbre. L'animal cogna contre l'écorce avant d'atterrir sur le sol avec un son mat. Puis il se remit sur ses pattes en secouant la tête, tout étourdi. Pendant ce temps-là, Uriah regardait, hébété, le bout de son doigt saignant. Soudain, avisant un gros bout de bois par terre, il s'en saisit, se releva en titubant et, rouge de colère, leva le bâton au-dessus de sa tête.

« Tiens ! grogna-t-il. Voilà pour toi, espèce de...

— Arrête ! »

L'ordre avait jailli de la bouche de Will presque malgré elle. Mais, en voyant Uriah sursauter et laisser tomber son arme, elle sut qu'elle avait bien fait. Du moins, le croyait-elle. Tandis que les complices d'Uriah se tournaient vers elle d'un air menaçant, elle commença à avoir des doutes. Quatre contre une... la partie était inégale !

Mais Will ne perdit pas son sang froid. Les poings serrés, les pieds fermement plantés sur le sol, elle soutint courageusement leur regard.

« Ah ! C'est la nouvelle ! dit Kurt.

— De quoi te mêles-tu ? lança Uriah.

— Laisse cette pauvre bête tranquille ! cria-t-elle en montrant le loir qui titubait au pied de l'arbre.

— Ouh, arrête, je tremble de peur ! » s'exclama-t-il d'une voix de fausset.

Puis Uriah reprit son expression inquiétante et son ricanement habituel et, avec un air de défi, s'avança vers Will.

« Et alors, qu'est-ce que tu comptes faire ? grogna-t-il. Cette fois, Cornelia n'est pas là pour t'aider !

— Ce ne sont pas des types comme vous qui m'impressionnent !...

— Ah vraiment ? »

Uriah serra les poings. Will également. Et puis, tout d'un coup, elle prit conscience de quelque chose. C'était vrai, elle n'avait plus peur de cette bande ! Pourquoi aurais-je peur ? se dit-elle, tandis qu'elle avançait vers eux avec assurance. Je possède des pouvoirs magiques. Je pourrais leur botter le derrière avec une aile attachée dans le dos !

Avant qu'elle ait pu tester la théorie, Nigel s'interposa entre elle et Uriah.

« Du calme, Uriah... » murmura-t-il en lui posant la main sur l'épaule pour le retenir.

Finalement, Uriah céda et, le doigt pointé sur Will, proféra une dernière menace :

« On se reverra ! »

Mais en le disant, il filait vers le chemin, suivi, naturellement, de ses fidèles toutous.

Quels crétins ! se dit Will. Ils malmènent les filles et les animaux sans défense. Un de ces jours, je le jure, je leur donnerai une leçon !

Un gémissement étouffé la fit sursauter. Elle avait presque oublié la vraie victime : le loir ! Will courut jusqu'à l'arbre et s'accroupit près de l'animal tremblant. Tandis qu'elle caressait sa fourrure soyeuse et le chatouillait douce-ment sous le menton, elle sentit sa colère s'évanouir.

« Alors, fit-elle, attendrie, comment te sens-tu ? »

Le loir poussa un petit cri et cligna des yeux. Puis il ouvrit grand la bouche. Will crut qu'il bâillait. Pauvre petite bête ! Elle doit être épuisée, se dit-elle. Mais au même moment, la « pauvre petite bête » lui planta ses dents acé-rées dans le doigt.

« Aïe ! » hurla-t-elle en retirant vivement sa main et en serrant son doigt endolori.

Peut-être a-t-il seulement faim, après tout, songea-t-elle.

« Ingrat ! Je viens de te sauver la vie, et voilà comment tu me remercies ! »

Le loir, bien sûr, ne prêta aucune attention à sa remarque et s'éloigna de quelques pas en chancelant. Mais quelqu'un l'avait entendue. Will aperçut alors près d'elle le bas d'un pantalon de velours rouge et deux pieds chaussés de grosses baskets.

« Tu veux un coup de main ? proposa une voix masculine sur le ton de la plaisanterie.

— Encore toi ? » fit Will, sans même lever les yeux.

C'est pas possible ! se dit-elle, penchée sur son petit doigt et grimaçant de douleur. Décidément, il est complètement bouché, cet Uriah ! Je vais lui apprendre, moi !

« Merci, j'ai pas besoin de ton aide ! » répondit-elle.

Et elle donna un grand coup de poing sur les orteils de l'intrus.

« Aïe ! cria ce dernier. Qu'est-ce qui te prend ? »

Will leva la tête et découvrit alors son interlocuteur...

Le garçon qui clopinait devant elle en se tenant le pied n'était pas Uriah, mais un garçon autrement séduisant ! Elle le reconnut tout de suite. C'était Matt Olsen, le chanteur d'un groupe formidable appelé Cobalt Blue. Will l'avait vu chanter à la soirée d'Halloween, quelques semaines plus tôt. Tout le monde en raffolait à l'Institut Sheffield.

« Oh, mon Dieu ! s'écria Will. Je suis désolée !... Je... je t'ai pris pour un autre. »

Matt reposa le pied par terre et regarda le loir, puis Will. Rouge de confusion, celle-ci repoussa ses cheveux en arrière, se leva en titubant, puis passa à nouveau la main dans sa tignasse ébouriffée.

Du calme, ma fille, se dit-elle. Concentre-toi ! Il te parle !

« Les loirs ont un sale caractère. Mais toi, tu n'es pas commode non plus ! »

Bon, ce n'est pas terrible comme début, se dit Will. Elle préféra ne pas relever la plaisanterie et... et quoi ?... Que pouvait-elle dire ? Cornelia aurait sans doute roulé les yeux et suggéré avec son flegme habituel : « Tu pourrais commencer par te présenter ! »

« Tu t'appelles Matt, hein ? dit Will avec un sourire crispé. Tu m'as bien plu au concert d'Halloween. »

Oh, mon Dieu, songea-t-elle, désespérée. Pourquoi ne lui dis-tu pas simplement que tu n'arrêtes pas de penser à lui depuis ce concert. Ce serait vraiment cool !

« Enfin, je veux dire... comme chanteur !

— Ah ? Merci ! » répondit Matt.

Il sourit à nouveau, mais, cette fois, ce n'était pas un sourire ironique. C'était juste... un sourire sympathique.

Un sourire à faire rêver. Elle regarda ce grand garçon dégingandé, à l'allure un peu négligée − juste comme il convenait. Une mâchoire virile, quelques poils au menton, des cheveux légèrement ébouriffés sous une casquette de pêcheur tout à fait mode et de très belles mains...

Ah oui, c'est vrai, se souvint-elle, il faut que je me présente.

« Je m'appelle Will », dit-elle.

Matt hocha la tête – mon Dieu, qu'il était mignon ! – et pointa le doigt vers le loir, qui venait de trébucher contre une racine d'arbre.

« Et ça, c'est ton petit copain ? » dit-il.

Il s'accroupit pour caresser la queue touffue de l'animal.

« Il a l'air un peu sonné. »

Le loir poussa des petits cris aigus et jeta autour de lui un regard étonné.

« Il ne tient pas debout, poursuivit Matt, et il a froid et faim. »

Will regarda l'animal par-dessus l'épaule du garçon.

Matt sortit alors un pull orange de sa sacoche.

« Il sera au chaud là-dedans », dit-il.

D'un geste habile, il attrapa le loir et l'enveloppa dans le pull en laissant juste dépasser la tête. L'animal paraissait très content.

« Il va se calfeutrer dedans, dit Matt en se redressant avec le loir enroulé dans le lainage. Et quand il voudra manger quelque chose, il sortira de son nid. »

Will leva les yeux vers le visage toujours souriant de Matt.

Ses yeux sont d'un si beau brun ! se dit-elle. Il sent le cèdre. Et... oh, vite, il faut que je dise quelque chose !

« Heu... On dirait que tu t'y connais ! dit-elle, avec un petit signe de tête en direction du loir.

— Mon grand-père a une animalerie, expliqua Matt. Mais ne compte pas sur moi pour lui porter cette bestiole. Il a déjà assez à faire avec les siennes ! »

Là-dessus, Matt lui tendit le loir.

Will retrouva alors le sens des réalités. Croit-il donc que je vais l'emporter chez moi ? Sans l'autorisation de Maman ? A-t-on seulement le droit d'avoir des animaux dans notre immeuble ?

« Attends ! s'écria-t-elle. Je ne peux pas le prendre !

— Tu rigoles ? ! Vous êtes faits l'un pour l'autre, ça se voit tout de suite ! »

Will se pencha vers le loir dont le regard, dépourvu de toute méchanceté, était maintenant gagné par une douce somnolence.

Puis Matt le lui mit dans les bras. Will, attendrie, commença à parler doucement à l'animal. Si je fonds aussi facilement, se dit-elle, je vais finir par me liquéfier complètement et il ne restera bientôt plus de moi qu'une grande flaque... Oh, Matt est en train de me parler à nouveau !

« On se verra à l'école », disait-il.

Lorsque Will leva les yeux, un frisson la parcourut. Il était en train d'écrire quelque chose sur une petite carte ! Hé, qui sait ?...

« Voilà mon numéro de téléphone, dit-il en lui tendant la carte. Si tu veux des conseils pour le loir... »

Will prit la carte, regarda Matt et cligna des paupières.

C'est le moment de dire merci... et de jouer les coquettes, comme le fait si bien Irma. Mais Will, la gorge sèche, fut incapable de prononcer un mot. Elle esquissa juste un timide sourire au moment où il s'en allait. Avant de disparaître, il se retourna et lui sourit à son tour une dernière fois. Will retrouva alors un semblant de voix.

« Au revoir ! » réussit-elle à articuler en agitant la main.

Tandis que Matt remontait le chemin d'un pas tranquille, Will prit une profonde et longue inspiration, puis jeta un coup d'œil sur le petit paquet qu'elle tenait dans ses bras.

L'animal émit une sorte de ronronnement auquel elle ne put résister.

« Oui, murmura-t-elle tendrement à l'oreille du loir. Je commence beaucoup à aimer cette ville ! »

8

Irma contempla sa garde-robe en soupirant.
On était lundi matin et, ce jour-là, on ne
pouvait pas s'habiller n'importe comment.
L'Institut Sheffield était régi par un système com-
plexe de règles non écrites, concernant entre
autres le domaine vestimentaire, et chacun
mettait un point d'honneur à s'y conformer.

La tenue du lundi obéissait à un code particulier. Il ne suffisait pas de porter quelque chose de supercool ou de chic. Non... Ce n'était pas si simple que ça. (En outre, les vêtements supercool étaient réservés au mercredi, quand tout le monde faisait des projets pour le week-end.)

Le lundi, il fallait avoir l'air fatigué. Même les vêtements devaient donner cette impression. Une tenue négligée signifiait qu'on avait fait la fête tout le week-end. Quel que soit le motif, réel ou supposé, de la fatigue – sortie avec un petit ami, soirée ou concert jusqu'à l'aube – il était bon de la faire remarquer. On s'appuyait alors ostensiblement contre son casier d'un air las et on lâchait une phrase du genre : « Quel week-end ! Je suis épuisée ! »

Mais il ne faut pas exagérer non plus, se dit Irma qui fouillait mollement parmi ses vêtements. Si on met une tenue trop négligée, on risque de passer inaperçue. Personne ne vous remarque et, le mardi, on n'existe plus. C'est très mauvais pour son image.

Cette seule idée faisait généralement frémir

Irma. Ce jour-là, néanmoins, elle avait d'autres sujets de préoccupation.

C'est à peine croyable, songeait-elle. Dire qu'il y a seulement une semaine cette question d'habillement était mon plus grand souci ! À présent, je dois sauver le monde de grands monstres bleus et de toutes sortes de dangers redoutables... Et, qui plus est, je dois *absolument* parler à mes amies de...

« Irmaaaaa ! »

Elle sursauta. Comment son père pouvait-il brailler aussi fort ?

« Tu es en retard, bon sang !

— J'arrive, j'arrive ! »

Et elle se concentra à nouveau sur son placard.

Finalement, haussant les épaules et fermant les yeux, elle plongea ses deux mains dans la penderie et saisit deux cintres au hasard. Lorsqu'elle ouvrit les yeux, elle tenait son jean préféré et un pull rose.

« Hé ! murmura-t-elle, je devrais choisir plus souvent mes vêtements de cette façon. Cet ensemble est parfait pour un lundi matin. »

Elle sauta dans son jean, enfila le pull, une paire de sabots gris anthracite à la mode, puis attrapa deux élastiques pour ses cheveux, se fit deux couettes et, d'un geste expert, fixa quelques mèches rebelles avec de minuscules barrettes bleues.

Lorsque enfin elle entra dans la cuisine, sa mère posait une brique de lait sur la table près du paquet de céréales – celles qu'Irma préférait – et son père enfilait son blouson et sa casquette de policier.

« Ton petit déjeuner, ma chérie », dit sa mère avec le sourire, en renouant la ceinture de son peignoir orange.

Son père, naturellement, jouait son Monsieur Grognon pour ne pas changer.

« Pourquoi n'es-tu pas prête ? grommela-t-il. Quand apprendras-tu à être à l'heure ?

— Mais je *suis* à l'heure ! déclara Irma, d'un air de défi.

— Alors, c'est le monde qui est en avance ! » répondit son père, les yeux au ciel.

Irma, à son tour, leva les yeux au ciel, mais elle ne put s'empêcher de rire. Faire enrager son père chaque matin était devenu une habitude comme se laver les dents.

« Maintenant bois ton lait, ordonna M. Lair, et file au collège, ma fille ! »

Irma se laissa tomber sur une chaise et remplit son bol de Frosties. En voyant la brique de lait, elle tressaillit.

Sur l'une des faces de l'emballage, elle venait d'apercevoir le visage d'Andrew Hornby − son sourire éclatant, sa tignasse flottante, sa fossette au menton et tout... La légende sous la photo faillit lui couper l'appétit : « Avez-vous vu ce garçon ? 1 m 75, cheveux blonds, yeux verts... »

Irma jeta un timide regard vers son père tout en versant du lait sur ses céréales.

« Avez-vous eu des nouvelles d'Andrew au commissariat ? demanda-t-elle d'une petite voix innocente avant d'avaler une cuillérée de Frosties.

— Pas encore, répondit son père en attachant son ceinturon autour de sa large bedaine. Mais j'ai une autre nouvelle ! Le sergent Sommer vient juste de me l'apprendre...

La police d'Aubry a retrouvé la voiture des parents d'Elyon. »

La mère d'Irma, qui essuyait un plat devant l'évier, s'interrompit.

« C'est vrai ?

— Oui, mais il n'y a aucune trace de la jeune fille et de sa famille. Ils ont disparu ! »

Mme Lair plissa le front. Irma s'immobilisa, la bouche pleine, soudain incapable d'avaler ses céréales.

« Aubry est loin d'ici, dit sa mère. Qu'allaient-ils faire là-bas ?

— Je te le dirai quand j'aurai lu le rapport de l'agent de police qui a trouvé la voiture. »

M. Lair enfonça fermement sa casquette sur ses cheveux blonds en brosse, sourit à sa femme et à sa fille, puis se dirigea vers la porte.

« À ce soir, mesdames !

— Sois prudent, Tom ! » recommanda Mme Lair.

Irma salua son père d'un petit signe de la main et reprit une cuillérée de Frosties. Les yeux fixés sur la brique de lait et la photo d'Andrew, elle devint songeuse. L'affaire se complique, se dit-elle. Absorbée dans ses pensées, elle en oublia un instant la photo.

Qu'était-il arrivé à Elyon ? Irma n'en avait aucune idée, mais elle savait que ça avait quelque chose à voir avec les affreux monstres qui les avaient attaquées dans le gymnase, elle, Will et Hay Lin.

Si seulement son père en savait autant qu'elle ! Il chercherait des indices dans des romans de science-fiction plutôt que dans des rapports de police... Quoi qu'il en soit, il n'était pas question de le mettre au courant. Il piquerait une crise ! De toute façon, il ne la croirait jamais.

Irma et ses amies étaient seules et ne pouvaient compter que sur elles-mêmes pour en savoir davantage ! Et, en plus, elle devait se dépatouiller avec l'affaire Andrew ! Ça faisait des jours qu'elle essayait d'en parler aux autres.

L'idée de révéler son secret la paralysait. Mais quel choix avait-elle ? Il lui fallait de l'aide... c'était urgent ! Et ses amies sorcières étaient les seules à qui elle pouvait en demander.

Vingt minutes plus tard, Irma entrait avec ses quatre compagnes Gardiennes dans la cafétéria de l'école. Des élèves de terminale avaient converti un coin de la cafétéria en café. Ils avaient même installé une machine pour faire des cappuccinos ! C'était un endroit génial pour traîner, faire ses devoirs, draguer les beaux garçons et, bien sûr, avoir son indispensable dose de caféine.

Mais, ce jour-là, Irma n'avait vraiment pas besoin de café ! Elle était déjà bien assez nerveuse. En franchissant la porte de la cafétéria, elle mit ses amies au courant des dernières nouvelles que lui avait données son père.

« Aubry ? fit Taranee. Quelle drôle d'idée ! Vous croyez qu'ils s'enfuyaient ?

— Possible, dit Hay Lin. Mais pourquoi ?

— Comment savoir ? dit Cornelia. On était dans la même classe depuis trois ans, mais Elyon parlait très peu de sa famille. »

Tandis qu'elles se dirigeaient vers une table près de la fenêtre, Irma restait songeuse. Les autres « sorcières » ne savaient rien de plus qu'elle ! L'air abattu, elle s'affala sur une chaise. Tout ce mystère la fatiguait.

Mais lorsque Will prit la parole, Irma oublia instantanément sa lassitude.

« Peut-être que la disparition d'Elyon et celle du garçon de seconde sont liées, suggéra-t-elle. Qu'en pensez-vous ?

— C'est une piste ! acquiesça Hay Lin en venant s'asseoir à côté d'Irma.

— Elle est fausse ! lâcha Irma, qui sentit aussitôt quatre paires d'yeux braquées sur elle.

— Tu parais bien sûre de toi ! » s'étonna Cornelia.

L'estomac noué, Irma avait décidé qu'il était temps de raconter ce qu'elle savait à ses amies. Quelle idée avait-elle eu de manger ces Frosties ! Ça n'allait pas faciliter les choses !

« J'ai déjà essayé de vous le dire, commença-t-elle d'une voix légèrement tremblante, mais je ne sais pas comment vous expliquer... »

Les filles la regardaient, les yeux écarquillés, impatientes d'entendre la suite.

« Je... je... je sais ce qui est arrivé à Andrew Hornby ! s'écria-t-elle soudain.

— Quoi ? ! glapit Hay Lin.

« — Alors, pourquoi tu ne l'as pas dit plus tôt ? » demanda Cornelia d'un air sévère.

Normalement, cette remarque aurait profondément irrité Irma – Cornelia la critiquait toujours. Mais Irma se sentait coupable. Elle a raison, se dit-elle, et pour une fois je mérite entièrement son mépris.

« Je ne vous l'ai pas dit, avoua Irma d'une petite voix haut perchée, parce que c'est moi qui l'ai fait disparaître ! Mais ce n'était pas vraiment ce que je voulais. Enfin... j'avais imaginé une disparition... temporaire !

— Oh non, Irma ! fit Cornelia en levant les yeux au ciel. Qu'est-ce que tu as encore inventé ?

— Andrew me plaisait, vous le savez, mais il ne me regardait jamais », expliqua Irma.

Les regards inquiets de ses amies lui donnaient la chair de poule.

« Alors...

— Alors quoi ? » fit Will, impatiente.

Irma poussa un gros soupir.

« Eh bien, ça s'est passé il y a environ une semaine. Vous connaissez le *Zot*, cette boîte derrière la place ? »

Cornelia hocha la tête. Bien sûr, elle y était allée. Cornelia était allée *partout*... Irma essaya de ne pas avoir l'air contrariée et poursuivit :

« Il y avait une fête. Je savais qu'Andrew y allait. C'était peut-être l'occasion pour moi d'attirer son attention... Et alors... »

Will plaqua soudain ses mains sur ses deux oreilles et supplia Irma :

« Non ! Ne le dis pas ! *S'il te plaît* !

— Je me suis transformée... », confessa Irma.

Là-dessus, elle s'effondra, accablée, sur la table de la cafétéria.

« Elle l'a dit ! » cria Will.

Irma ne savait plus où se mettre.

Pourquoi, se demanda-t-elle, pourquoi est-ce seulement *après* qu'on y voit clair ? Sur le moment, ma décision me semblait sans grande conséquence. En fait... c'était même amusant.

« Mes parents dormaient depuis un moment, poursuivit-elle devant ses amies médusées. Il m'a suffi d'y penser... et hop ! Je n'étais plus la même. »

Irma ne put s'empêcher de ressentir un frisson d'excitation en se rappelant sa transformation – la seconde depuis qu'elle avait des pouvoirs magiques.

Elle était debout au pied de son lit et regardait ses jambes courtes et un peu dodues, son pull informe et ses cheveux impossibles à coiffer. Elle avait fait le vœu de les voir disparaître et, aussitôt, s'était trouvée entourée d'un tourbillon d'énergie magique si puissant qu'il avait emporté d'un seul coup tous ses vêtements. Irma avait alors levé les bras en l'air, son corps était devenu mince et élancé, et elle avait senti ses ailes ornées de pétales se déployer dans son dos. Toute la transformation lui avait donné un sentiment phénoménal de puissance et de liberté... Sans parler du côté sexy.

Parce qu'il fallait bien le dire. L'Irma magicienne était superbe. Ses yeux bleus s'étaient agrandis et papillotaient d'un air faussement timide, ses cheveux soyeux étaient parfaitement coiffés, et sa silhouette souple avait des formes joliment arrondies.

« J'ai caché mes ailes sous un châle, dit Irma, et j'y suis allée ! »

Au fur et à mesure qu'elle parlait, elle se sentait moins coupable. Comment aurait-elle pu oublier une expérience si excitante ? Elle s'était tellement amusée !

« Vous auriez dû voir ça ! Tout le monde me regardait !

— Y compris Andrew ? demanda Cornelia.

— Surtout lui ! On a parlé et dansé toute la nuit. C'était génial ! »

Hay Lin – qui ne s'intéressait pas beaucoup aux garçons – ne cacha pas son irritation.

« Je rêve ! Tu as utilisé tes pouvoirs pour participer à une fête ? !

— Je ne faisais rien de mal ! protesta Irma.

— Et après ? soupira Will. Continue, Irma !

— D'accord ! »

Irma se sentit rougir et sa respiration s'accéléra. Le pire restait à raconter !

« À la fin, Andrew a proposé de me raccompagner en voiture et j'ai accepté. Mais il a voulu profiter de la situation. Il a garé la voiture dans un endroit sombre et a essayé de m'embrasser !

— Et ensuite ? firent les quatre sorcières en chœur.

— Vous voulez vraiment le savoir ? Je... euh... je l'ai changé en crapaud ! »

Irma se rappelait le sentiment de panique qui l'avait saisie devant la brusque métamorphose d'Andrew. Disons plutôt ses transformations successives. Le gentil boyfriend s'était d'abord transformé en un type au regard lubrique, obsédé par une seule idée. Et puis une drôle d'expression était apparue sur son visage aux yeux soudain exorbités. Il avait émis un son bizarre et – hop ! – il s'était changé en un crapaud couvert de verrues et bondissant.

« Il a pris peur, a sauté par la fenêtre et a disparu, avoua Irma. Je l'ai suivi... Je l'ai cherché partout... mais en vain ! »

Voilà ! Irma avait déballé toute son histoire. Maintenant, ses amies pouvaient commencer à la haïr et à lui tourner le dos. Elle soupira et baissa humblement la tête dans l'attente du verdict.

Elle entendit alors quelqu'un pouffer et leva les yeux. C'était Hay Lin. Elle avait la main devant la bouche, mais on voyait ses yeux rieurs.

Puis ce fut le tour de Will. Elle aussi avait la main sur la bouche et, visiblement, elle avait du mal à se retenir de rire.

Finalement, ce fut Cornelia qui, n'y tenant plus, rejeta la tête en arrière et s'esclaffa. Ce qui déclencha aussitôt des réactions en chaîne.

« Ha, ha, ha, ha ! » fit alors Hay Lin, tandis que Taranee et Will s'écroulaient sur la table.

Eh bien, se dit Irma, je ne m'attendais pas à ça ! Qu'est-ce qui leur prend ?

« Pourquoi riez-vous ? s'indigna-t-elle. C'est une tragédie ! Une catastrophe ! »

Ce qui, naturellement, fit pouffer ses amies de plus belle. Cornelia essuyait les larmes qui lui coulaient des yeux et Taranee semblait avoir de la peine à respirer.

Tout ça ne m'aide pas du tout, se dit Irma en croisant les bras sur la poitrine d'un air contrarié. Il ne manquerait plus que...

« Tu as des problèmes, princesse ? »

Irma leva les yeux au ciel. Bien sûr, c'était lui... Martin Tubbs, l'incorrigible casse-pied, l'éternel amoureux d'Irma ! Il arrivait toujours à l'instant précis où elle n'avait aucune envie de le voir – ce qui, à vrai dire, était pratiquement toujours le cas. Mais là, alors que ses amies se moquaient d'elle comme jamais, il ne pouvait pas tomber plus mal !

Elle jeta un coup d'œil vers l'intrus. Il avait l'air encore plus abruti que d'habitude avec ses grosses binocles, son pull en V et sa casquette de baseball tournée devant derrière.

« Martin, grogna-t-elle, disp...

— NON ! » hurlèrent ses amies.

Will et Taranee bondirent à travers la table pour l'empêcher d'achever sa phrase, tandis que Hay Lin lui plaquait sa main sur la bouche.

Ah oui, c'est vrai, se dit Irma. J'oubliais l'histoire du crapaud... Si tentant que ce soit, elle ne pouvait pas se permettre de faire disparaître Martin pour de bon. Elle avait déjà assez de problèmes comme ça !

Irma se ressaisit, écarta ses amies et se tourna vers lui avec une grand sourire mielleux.

« Pourrais-tu débarrasser gentiment le plancher, Martin, s'il te plaît ? »

Martin sourit.

« Tes désirs sont des ordres, princesse ! »

Puis il fila vers sa classe.

Je l'ai échappé belle, se dit Irma. Elle sentit à nouveau la lassitude l'envahir. Et moi qui croyais que le fait d'être magicienne allait me simplifier la vie !

Taranee se dirigea avec ses amies vers la
sortie de la cafétéria. Elle ne pouvait s'empêcher de regarder Irma. Elle se demandait ce
qui était le plus surprenant : qu'Irma ait utilisé
son pouvoir magique pour métamorphoser un
garçon en crapaud, ou qu'elle ait eu l'audace

de se changer en magicienne et d'aller toute seule en boîte !

Cette seule idée la pétrifiait.

Mais tandis qu'Irma franchissait les doubles portes de la cafétéria, Taranee se mit à réfléchir.

Après tout, se dit-elle, qu'est-ce qui m'empêche de tenter ma chance ? Je suis une magicienne, moi aussi. Je peux faire jaillir le feu n'importe où. Et si je suis capable de ça, je pourrais certainement aller à une soirée en magicienne, comme Irma.

Taranee essaya de s'imaginer dans son costume – collant rayé, débardeur décolleté dans le dos, et coiffure grand style. Elle se voyait, en compagnie de beaux garçons, danser, flirter, faire de longues promenades romantiques... mais aussi bafouillant au milieu d'une conversation ou battant des cils si fort que ses lunettes en tombaient ! Elle en riait toute seule.

« Enfin, je n'en suis pas encore là ! dit-elle tout bas. Pour l'instant, le mieux est de m'occuper du mystère Elyon/Andrew avec mes amies. »

Et, revenant à la réalité, elle prêta toute son attention à la discussion en cours.

« Alors, qu'est-ce qu'on fait ? » demandait Irma.

Les cinq filles venaient de traverser la place et entraient dans la cour de Sheffield pour rejoindre le bâtiment principal et les salles de classe.

« C'est simple, dit Will. Il faut retrouver Andrew et... ouh ! »

Taranee étouffa un cri en la voyant porter la main à son front et chanceler. Elle saisit son amie par le bras pour l'empêcher de tomber.

« Will ! s'écria-t-elle. Encore cette étrange sensation ? Ça commence à être inquiétant ! »

Will avait l'air aussi pâle et tremblante qu'après l'enterrement de Yan Lin. Elle cligna des paupières et prit une inspiration.

« C'est comme un frisson. Un vertige. J'ai l'impression de tomber dans le vide !

— Non ! » s'écria soudain Hay Lin.

Taranee se retourna en sursaut. « Hé, doucement ! » faillit-elle dire. Mais elle s'aperçut aussitôt que ce cri ne s'adressait pas à Will.

Hay Lin pointait son doigt en direction d'un mur de stuc rose à l'autre bout de la cour.

« Qu'est-ce qu'il y a ? demanda Cornelia.

— Regardez ! hurla Hay Lin. Cette fois, ce n'est pas mon imagination ! »

Taranee et les autres suivirent son regard.

« Elyon ! » s'écria Cornelia.

Hay Lin avait raison. Cette fois, ce n'était pas une hallucination. Taranee voyait clairement Elyon, vêtue d'un ensemble bleu roi et d'un pull à col roulé gris. Elle les observait, appuyée d'une main contre le mur avec une apparente décontraction, mais l'expression de son visage était tout sauf détendue.

Puis, soudain, une chose incroyable se produisit.

« Seigneur ! cria Hay Lin. Elle traverse le mur comme un fantôme ! »

Taranee poussa un cri. Le bras puis tout le côté droit d'Elyon s'enfonçaient dans le mur ! Elle retint son souffle. Qu'allait-il se passer ensuite ?

Elyon regarda une dernière fois ses compagnes d'un air désespéré et tendit la main dans leur direction avant de disparaître à travers le mur.

Tandis que Taranee se remettait de ses émotions, ses amies passèrent à l'action.

« On dirait qu'elle nous appelle, dit Will. Peut-être a-t-elle quelque chose à nous dire !

— Suivons-la ! » cria Cornelia.

Sans hésiter une seconde, Will, Hay Lin et Irma partirent en courant vers le mur.

« On ne peut pas partir comme ça ! gémit Taranee. Et les cours ?

— Oh, allez ! fit Irma, avec un sourire moqueur.

— Sérieusement, insista Taranee en suivant ses amies. Si Mme Knickerbocker nous surprend, on va avoir des ennuis ! »

Taranee s'imaginait déjà sa mère, tellement à cheval sur les principes, apprenant que sa fille avait séché les cours. Il y avait peu de chance qu'elle accepte une excuse du style « Oh, Maman, je n'ai pas pu faire autrement. Le fantôme de mon amie Elyon est passé nous voir dans la cour ! »

Taranee leva les yeux au ciel et regarda par-

dessus son épaule la foule des élèves qui arrivaient à Sheffield.

La voix de Cornelia la fit sursauter.

« La directrice n'en saura jamais rien »,
affirma Cornelia.

Puis, devant tout le groupe, elle ajouta :

« Poussez-vous, les filles. Je vais ouvrir une
porte de secours. »

Elle serra les dents et, paume en avant, tendit le bras vers le mur. Soudain sa main se mit
à trembler... puis devint lumineuse !

Des ondes énergétiques vertes jaillirent de
sa paume. Taranee ne savait pas d'où Cornelia
tirait ce pouvoir, pas plus qu'elle ne comprenait sa propre capacité à produire du feu.

En tout cas, ça marchait !

Un énorme trou circulaire apparut soudain
dans l'épais mur de pierre recouvert de stuc.

« Ouah ! » s'écria Taranee.

En s'aidant des pieds et des mains, les cinq
filles enjambèrent le mur ainsi ouvert. Une
fois passée de l'autre côté, Taranee demanda à
Cornelia :

« Sauras-tu au moins refermer cette porte de
secours ?

— Bien sûr, répondit Cornelia avec un haussement d'épaule. C'est une question de concentration. Il suffit d'y penser très fort et... »

Là-dessus, elle ferma les yeux et bombarda à nouveau le mur de ses ondes magiques.

Mais lorsqu'elle rouvrit les yeux, le trou était toujours là ! En fait, ce n'était plus un simple trou, mais une ouverture béante, comme une grande déchirure avec des bords en dents de scie, sur toute la hauteur du mur !

Cornelia fit la grimace, puis haussa les épaules et se tourna vers ses amies en souriant.

« Raté, admit-elle. Je manque encore d'entraînement.

— On va se faire prendre, dit Taranee, roulant des yeux apeurés.

— Et, en plus, fit remarquer Hay Lin en balayant la rue du regard, on a perdu Elyon. »

Will secoua la tête.

« Allons-nous-en ! dit-elle. Je ne vois qu'un seul endroit où la trouver, c'est chez elle ! »

Cornelia approuva d'un signe de tête et elles se hâtèrent en direction de la maison d'Elyon, sauf Taranee qui hésita un moment. À travers l'ouverture du mur, elle jeta un coup d'œil dans la cour pour s'assurer que Mme Knickerbocker ne traînait pas dans les parages, mais la cour était vide. Apparemment, personne ne s'était aperçu de leur escapade.

Nous sommes les Gardiennes de la Muraille, se dit-elle. On n'a pas le choix. Elyon est impliquée dans cette lutte entre le bien et le mal. Il faut la chercher.

« Et qui sait ? dit-elle tout bas, peut-être que quelqu'un à Kandrakar pourrait m'écrire un mot d'excuse ! »

Cette idée la fit rire, et elle se mit à courir après ses amies.

« Attendez-moi ! » cria-t-elle.

Dix minutes plus tard, les filles étaient chez Elyon et traversaient la pelouse sur la pointe des pieds. L'herbe était déjà haute et la grande maison grise avait l'air complètement abandonnée. Toutes les fenêtres étaient sombres. Irma fit signe à ses amies de la suivre.

« Par ici, dit-elle à voix basse. On dirait que la porte de derrière est ouverte ! »

Sans même hésiter, Irma, Cornelia, Hay Lin et Will se faufilèrent à l'intérieur. Mais Taranee ne pouvait se résoudre à franchir le seuil. Pendant que les autres filles entraient dans la cuisine, elle restait accrochée au montant de la porte.

« Vous vous rendez compte de ce que vous faites ? On appelle ça "violation de domicile" ! les avertit-elle. Avec une mère juge et un père avocat, je sais de quoi je parle, et, croyez-moi, ça peut coûter très cher !

— Si tu as peur, dit Cornelia d'un ton narquois, personne ne te force. Attends-nous ici. »

Taranee la regarda, interloquée, puis jeta un coup d'œil en arrière. Le jardin désert, balayé par le vent, ne lui disait rien qui vaille.

« Rester dehors toute seule ? s'exclama-t-elle. Tu plaisantes ! »

Cornelia ricana.

Très bien, se dit Taranee en refermant la porte du pied derrière elle. Cornelia a réussi à me faire entrer. Espérons seulement qu'elle réussira à nous sortir d'affaire si on se fait prendre.

Elle suivit ses amies dans la cuisine, puis dans le séjour.

« Ouah ! » fit Hay Lin.

Taranee aussi était estomaquée. L'endroit donnait la chair de poule. Le plafond, d'où pendaient des lustres de cristal rouge, semblait à une hauteur vertigineuse. Un somptueux tapis d'Orient recouvrait le sol et de lourds rideaux de velours rouge encadraient les fenêtres.

« Ça paraît tellement plus petit, vu de l'extérieur ! dit Hay Lin.

— De quel côté allons-nous ? » demanda Will.

Frup, frup, frup, frup.

Qu'est-ce que c'est que ce bruit ? se demanda Taranee.

Puis elle vit Will pointer son doigt vers le sol.

« Regardez ! s'écria-t-elle. Des traces de pas ! »

C'était donc ça, le bruit, se dit Taranee. Elle s'approcha et faillit crier à son tour lorsqu'elle vit, de ses propres yeux, les empreintes se dessiner sur le plancher. On apercevait même les petits nuages de poussière que des chaussures invisibles soulevaient à chaque pas. Et, tout comme les chaussures, les pieds qui laissaient ces traces restaient invisibles !

Les pas, cependant, semblaient aller dans une direction déterminée.

« Je prends ça pour une invitation », déclara Will.

Elle suivit les traces jusqu'à une porte sous l'escalier. Puis elle poussa la porte, qui s'ouvrit dans un craquement sinistre.

« C'est le sous-sol », annonça-t-elle.

Comme on pouvait s'y attendre, se dit Taranee, les traces nous emmènent dans la partie la plus terrifiante de la maison !

Will essaya de voir à travers l'obscurité. Taranee jeta un regard par-dessus son épaule, mais ne vit rien du tout.

« Éclaire-nous, Taranee, dit Will.

— Avec plaisir ! »

Elle ferma les yeux et fit une coupe avec ses deux mains. Elle sentit alors naître au creux de ses paumes une douce chaleur, qui remonta le long de ses bras jusque dans sa poitrine.

La sensation était si merveilleuse que Taranee se mit à sourire. Elle ouvrit les yeux et vit un gigantesque tourbillon de feu sortir de ses mains et s'élever jusqu'au plafond.

La pièce – une vaste salle circulaire – en était tout illuminée.

Pour la première fois depuis qu'elle était arrivée au collège ce matin-là, Taranee oublia d'avoir peur. Grâce à ses pouvoirs magiques, elle se sentait soudain investie d'une nouvelle force, et cette prise de conscience la remplit de détermination. Avec une aisance inhabituelle, elle redressa les épaules et descendit l'escalier du mystérieux sous-sol derrière ses amies.

10

Tandis que la boule de feu s'envolait de la paume de Taranee, Cornelia contempla, médusée, cette grande salle qui se déployait sous leurs yeux.

Comment se faisait-il qu'après des années d'amitié avec Elyon, elle n'ait jamais su qu'il existait une telle pièce dans sa maison ? Avec ses murs gris fer incurvés, ce sous-sol ressemblait à l'intérieur d'une boîte de conserve géante. Et, à part quelques cartons posés près de l'escalier sur le sol en ciment granuleux, il était entièrement vide.

Cette pièce donne l'impression étrange de n'avoir jamais été ici auparavant, se dit Cornelia. Elle descendit l'escalier comme dans un brouillard. En marchant, elle fouillait dans sa mémoire et tâchait de se rappeler toutes les fois où elle était venue chez Elyon.

Elle n'avait jamais remarqué la porte du sous-sol. Et elle ne se rappelait pas non plus avoir jamais entendu son amie parler d'un quelconque sous-sol.

Puis elle essaya de se remémorer les parents d'Elyon. Elle se souvenait vaguement de deux personnes aux cheveux fins et aux yeux pâles, très semblables à ceux d'Elyon, mais la vision qu'elle en gardait restait très floue.

Dans le fond, se dit-elle soudain, je ne suis pas venue souvent dans cette maison. Elyon préférait toujours se promener dans le parc, et aller au restaurant ou chez moi.

Maintenant je comprends, songea Cornelia en frissonnant, elle cachait quelque chose... Ainsi je n'étais peut-être pas sa meilleure amie comme je le croyais ! Un sentiment de vide l'envahit.

Arrivées en bas de l'escalier, les cinq filles regardèrent autour d'elles d'un air désemparé.

« Il n'y a plus d'empreintes de pas, dit Irma.

— Et ce souterrain n'a pas d'issue, ajouta Will. Où est-ce qu'on veut nous emmener ? »

Une voix spectrale résonna derrière elles.

« Venez à moi, les filles ! »

Cornelia se retourna brusquement. C'était Elyon ! Appuyée contre le mur à l'autre bout de la pièce, les yeux grands ouverts et inexpressifs, elle tendait les bras vers ses camarades.

« Venez à moi », répéta-t-elle.

Will avança d'un pas hésitant, tandis que Taranee et Irma s'abritaient derrière elle. Elyon fixait Will de son regard vide.

« Elyon ! dit Will, hésitante. Tu nous entends ? »

Et Elyon répéta la même phrase monotone :

« Venez à moi, dit-elle, venez à moi. »

Pendant qu'elle parlait, son corps commença à se fondre dans le mur derrière elle avant de s'y dissoudre entièrement, comme de la fumée se dissipe dans l'air. Quand Cornelia se rendit compte de ce qui se passait, Elyon avait presque totalement disparu ! On ne voyait plus que son visage et son bras tendu.

« Venez à moi », murmura-t-elle une fois encore.

Puis elle disparut.

Cornelia courut jusqu'au mur et le frappa du poing avec colère. Le coup produisit un son creux et métallique.

« Encore un mur ! s'écria-t-elle. Ça devient une habitude ! »

Il y avait quelque chose de désespéré dans sa voix. Elle s'en rendait compte et ça l'irritait encore plus. Pendant un moment, elle détesta Elyon... Elle lui en voulait de susciter en elle une telle confusion, un tel sentiment d'impuissance et... une telle tristesse.

Où était-elle passée ?

Cornelia donna encore quelques coups sur le mur. Il s'agissait bien de métal. En y regardant de plus près, elle vit que la paroi était constituée d'énormes panneaux métalliques grossièrement assemblés.

« Laissez-moi voir », proposa Irma.

Elle s'approcha du mur et commença à gratter la jointure près de l'endroit où Elyon avait disparu.

« Hé, dit-elle, il y a une porte derrière ça ! »

Cornelia regarda par-dessus l'épaule d'Irma. Celle-ci avait raison. Entre les plaques de métal, on apercevait l'encadrement d'une porte. Mais, bien sûr, on ne voyait pas de poignée, ni aucun moyen de franchir ces plaques.

« On dirait que c'est scellé, dit Irma. Impossible de l'ouvrir ! »

Cornelia comprit aussitôt ce qu'il lui restait à faire. N'avait-elle pas les pouvoirs de la terre en elle ? Avec l'aide de ses nouveaux pouvoirs magiques, elle pouvait agir sur la matière par un simple effort de volonté.

Elle ne put s'empêcher, néanmoins, de repenser à la bourde qu'elle avait commise quelques minutes plus tôt dans la cour de Sheffield. Ouvrir un trou dans le mur avait été un jeu d'enfant. Seulement, ensuite, elle avait

voulu le refermer... et, là, elle avait complètement raté son coup ! En fait, elle avait fini par
démolir la moitié du mur !

Sur le moment, elle avait pris la chose en
riant, du moins en apparence. En réalité, cet
échec avait suscité en elle un sentiment de
panique.

Cornelia, en effet, visait toujours la perfec-
tion. Elle était habituée à n'avoir que des
bonnes notes en classe. En patin à glace, elle
exécutait des figures impeccables et ne tombait presque jamais. Quant à son apparence,
elle y mettait tout autant de soin et n'avait
jamais un cheveu qui dépassait. Cornelia se
voulait, en toutes circonstances, maîtresse
d'elle-même et des situations.

Son échec devant le mur du collège prou-
vait qu'elle ne maîtrisait pas encore parfaitement ses pouvoirs magiques. Il faudrait bien
un jour qu'elle y arrive, mais, en attendant, si
elle échouait de nouveau, Elyon risquait de
s'éloigner davantage. Et les mystères que les
Gardiennes devaient affronter ne feraient que
s'épaissir.

Ça, elle ne pouvait le supporter ! Je veux

des réponses ! se dit-elle. Et je crois qu'Elyon sait quelque chose. Cette seule pensée suffit à lui redonner confiance. Sentant soudain remonter en elle un puissant courant d'énergie, elle dit à Irma :

« Pas besoin d'ouvrir la porte. Il suffit de s'écarter ! »

Irma ne se le fit pas dire deux fois et s'éloigna en vitesse. Aussitôt Cornelia recula, serra les dents et, concentrant toute sa force mentale sur la plaque de métal, projeta sur celle-ci l'énergie accumulée au bout de ses doigts.

Juste comme elle l'espérait, l'énorme et lourde plaque bascula vers elle avec un grondement grinçant, puis, tandis que Cornelia sautait lestement de côté, s'écrasa sur le sol de ciment dans un bruit de tonnerre !

À l'emplacement de la plaque s'ouvrait maintenant un trou béant.

« Ouah ! » s'écria Hay Lin, qui s'élança en gambadant sur la plaque et sauta à travers le trou.

Les autres la suivirent. Cornelia s'avança d'un pas martial, en frappant du pied la plaque de métal pour bien marquer sa victoire.

Mais, au passage, elle remarqua sur la porte un hiéroglyphe.

Intriguée, elle s'arrêta pour l'examiner. C'était un cercle vert dont une partie, en forme de C à l'envers, avait été découpée en son centre. En haut du cercle se trouvait un long et fin triangle et, en dessous, un autre triangle plus petit et plus large.

Cornelia haussa les épaules, puis sauta à travers l'ouverture qu'elle avait faite dans le mur.

« Ouah ! » fit à nouveau Hay Lin, mais à voix basse, avec un respect mêlé de crainte.

Elles venaient de déboucher dans une gigantesque caverne !

En réalité, ce n'était pas exactement une caverne, mais plutôt un souterrain construit par des êtres humains (ou d'autres êtres, se dit Cornelia en frissonnant). Le long et sombre tunnel était pavé de marbre et doublé de briques claires. Des ampoules jaunes accrochées aux murs jetaient sur l'ensemble une lueur inquiétante. La voûte était formée d'une succession d'arches de briques rouge foncé. Sur le sol, figurait le même symbole vert que

Cornelia avait vu sur la porte. Sauf que celui-ci mesurait six mètres de long !

L'air moite, chargé d'odeurs d'humus et d'eaux stagnantes, était difficilement respirable. On se croirait dans la gorge d'un monstre à l'haleine fétide, se dit Cornelia. Maintenant, je peux imaginer ce que c'est d'être avalé par une baleine !

« Où sommes-nous tombées ? demanda Will.

— Si c'est un placard à balais, murmura Hay Lin, je n'en ai jamais vu d'aussi étrange. »

Les yeux levés vers le plafond, Hay Lin n'avait pas pris garde à ce qui sortait de la poche de sa veste. On aurait dit des flammes... Pourtant on ne sentait aucune odeur de fumée et la veste bleue de Hay Lin ne semblait pas brûler !

Cornelia venait de s'en apercevoir, mais avant même qu'elle ait eu le temps de crier, Taranee attrapa Hay Lin. Le feu, après tout, c'était son domaine.

« Ta veste ! hurla-t-elle.

— Hein ? » cria Hay Lin.

Puis elle hocha la tête.

« Ah, oui ! » marmonna-t-elle.

Sans perdre son sang froid, elle plongea la main dans sa poche. Lorsqu'elle la ressortit, les flammes avaient disparu et, dans sa main, elle tenait un morceau de papier plié, un vieux papier jauni aux bords racornis, si usé qu'il en était presque transparent. Elle le déplia. C'était une grande feuille carrée.

« Quel soulagement ! C'est la carte de ma grand-mère. Le plan des douze portes !

— D'où le sors-tu ? s'exclama Will. Tu ne nous en as pas parlé !

— Je comptais le faire, mais avec tout ce qui s'est passé ces derniers jours, j'ai complètement oublié. »

Les filles se rassemblèrent autour d'elle pour regarder le plan. Cornelia reconnut la forme familière de la plage de Heatherfield et, à côté, deux bâtiments roses lumineux !

« C'est le plan de la ville, dit Taranee. Et ces deux points lumineux sont...

— ... les passages vers la Zone Obscure du Non-Lieu, expliqua Hay Lin. Nous avons pour mission de les refermer. Le premier était dans le gymnase.

— Et celui-ci ? » demanda Cornelia, pointant son doigt sur l'autre bâtiment, situé un peu plus loin sur la carte.

Mais avant même d'entendre la réponse, elle avait reconnu l'endroit. Son cœur se serra et sa tête se mit à bourdonner. Tandis qu'elle observait ses compagnes qui, visiblement, avaient deviné à leur tour la réponse, le temps sembla s'arrêter.

Seule Will eut la force de dire la vérité tout haut.

« C'est la maison d'Elyon ! » s'écria-t-elle, le doigt sur le point lumineux.

Elle jeta vers ses amies un regard affolé.

« Alors, nous sommes dans le deuxième passage ! »

Au moment où elle prononçait ces mots, l'inquiétant couloir, froid et humide, se remplit d'un grondement sourd qui devint rapidement assourdissant.

Le sol commença à trembler sous les pieds des cinq filles. Du plafond descendaient des nuages de poussière. Puis, dans une sorte de rugissement horrible, tonitruant, le sol s'ébranla ! Un nouveau mur jaillit ! Il se dressa sur les carreaux de marbre comme un serpent de pierre, monta tout droit vers le plafond et heurta la voûte avec un claquement retentissant. Aussitôt après, le mur s'élargit d'un côté, puis de l'autre, et, en un instant, le tunnel fut bouché.

« C'est un piège ! » hurla Will.

Oui, c'est un piège, se dit Cornelia. Elle jeta autour d'elle des regards affolés, cherchant une solution, une sortie... et, surtout, Hay Lin !

Elle vit Will marteler de ses poings le nouveau mur de briques. Elle vit Taranee se tordre les mains de terreur et Irma se retourner, paniquée.

Mais Hay Lin n'était nulle part !

Elle est prise derrière le mur ! comprit alors Cornelia.

Will, Irma et Taranee semblèrent s'en apercevoir en même temps et se tournèrent toutes les trois vers elle.

« Fais quelque chose, Cornelia ! » cria Irma.

Cornelia regarda le mur. Il semblait aussi imposant et infranchissable que le Hoover

Dam[1] ! Et beaucoup plus difficile à percer que le mur de stuc de Sheffield ou même que les plaques de métal du sous-sol d'Elyon. Elle sentit sa respiration devenir haletante.

Elle ne comprenait rien de tout ce qui leur arrivait.

Elyon était-elle aussi prise derrière le mur ? Ou était-ce elle qui avait créé ce mur ?

Avait-elle été enlevée ?

Ou les avait-elle trahies ?

Cornelia, en tout cas, était sûre d'une chose : Elyon n'était pas l'amie qu'elle avait crue.

Hay Lin, elle, faisait partie de W.I.T.C.H. et elle la défendrait envers et contre tout !

Pas question que je la perde ! se dit Cornelia. Je dois la sauver. Et j'y parviendrai grâce à mes pouvoirs magiques !

Pour la première fois depuis qu'elle possédait ces pouvoirs, elle en éprouvait de la reconnaissance. À présent, elle se sentait plus forte et capable de les maîtriser.

Sans hésiter une seconde de plus, elle se

---

1. Grand barrage sur le fleuve Colorado qui traverse le sud-ouest des États-Unis.

dirigea à grands pas vers le mur et lança ses bras en avant.

« Reculez ! ordonna-t-elle à ses amies. Je vais abattre ce mur ! »

Hay Lin poussa un hurlement. Un mur de briques avait jailli du sol.

Elle sentit la carte de sa grand-mère lui glisser des mains et vit disparaître d'un coup les visages stupéfaits de ses amies.

Tremblant de tous ses membres, elle regarda le mur monter et heurter le plafond avec un bruit assourdissant. Elle cria de nouveau et se mit à courir vers la droite. Mais en vain... Le mur l'avait gagnée de vitesse et s'étendait maintenant sur toute la largeur du tunnel.

Impossible de le contourner.

Hay Lin était prise au piège.

Seule.

Dans un frémissement de peur et de rage, elle prit une grande inspiration et se jeta contre le mur en poussant un dernier cri désespéré. Les briques paraissaient froides et humides comme les écailles d'un reptile, mais elles étaient aussi dures, résistantes et infranchissables. De l'autre côté du mur, c'était le silence complet. Ses amies semblaient avoir été brusquement englouties.

Puis, en réfléchissant, elle comprit qu'en réalité c'était elle qu'on avait enlevée, séquestrée... elle qui avait disparu !

Le visage de sa grand-mère lui revint soudain en mémoire. Puis il s'effaça... Des taches rouges défilèrent devant ses yeux. Que lui arrivait-il ?... Prise de panique, elle serra très fort les paupières et cogna sur le mur de toutes ses forces en sanglotant.

« Je veux sortir d'ici ! hurla-t-elle.

— De quoi as-tu peur, Hay Lin ? » dit une voix, juste derrière elle.

C'était la voix d'Elyon. Hay Lin sentit des gouttes de sueur perler à son front.

Elle pensait que rien ne pouvait être pire que d'être prise au piège toute seule dans cette crypte de briques. Mais elle se trompait. Partager cet espace sinistre, froid et humide avec le fantôme d'Elyon était bien plus terrifiant.

Épuisée, haletante, Hay Lin refusait de se retourner et de faire face au regard vide et glaçant d'Elyon. Elle s'accrochait aux briques du mur. Le mortier rugueux déchirait ses paumes et ses ongles. Mais elle ne s'en souciait pas. Elle voulait seulement sortir. Sortir. *Sortir* !

« Suis-moi ! Viens avec moi de l'autre côté, reprit Elyon derrière son dos. Je suis ton amie ! »

À ces mots, Hay Lin cessa de sangloter, de crier et de s'agripper au mur.

S'il y avait quelque chose qu'elle ne pouvait supporter, c'était le mensonge. Et Elyon mentait ! Une véritable amie ne l'aurait pas attirée dans cet endroit effroyable, ni séparée de ses autres compagnes. Une amie ne cherchait pas à vous capturer. Elle se montrait accueillante et vous acceptait telle que vous étiez, pas telle qu'elle vous voulait.

Le visage de sa grand-mère lui apparut une seconde fois. Elle la revoyait lui disant : « Tu me parais particulièrement douée, ma petite fille. »

Une nouvelle série de sanglots secoua son corps frêle. Elle voulait réussir. Elle voulait être forte ! Elle voulait chasser cette Elyon malfaisante qui lui était devenue étrangère.

C'est certainement ce qu'aurait fait ma grand-mère, se dit Hay Lin. Pendant un instant, elle essaya d'imaginer la vieille dame en jeune Gardienne de la Muraille. Puis, submergée par un nouvel accès de chagrin, elle s'effondra sur le sol et se mit à pleurer à chaudes larmes cette grand-mère aimante et douce qu'elle venait de perdre. Elle pleurait aussi en pensant à ses parents. Allaient-ils devoir assister à un autre enterrement ce mois-ci ?

Mais pouvait-on faire un enterrement pour quelqu'un qui disparaissait, sans laisser de trace, dans la Zone Obscure du Non-Lieu ?

Hay Lin secoua la tête faiblement. Elle ne pouvait pas accepter un sort aussi cruel !

« Non, marmonna-t-elle, se tournant vers Elyon. Tu n'es pas réelle. Et tout ceci n'est qu'un cauchemar. »

Ses paroles ne firent que renforcer la détermination d'Elyon. Elle secoua la tête lentement et regarda Hay Lin avec un sourire malveillant. Alors, le mur derrière elle – un autre amoncellement de briques et de mortier – commença à onduler, comme s'il s'était soudain transformé en gelée.

Puis, juste au-dessus de la tête hirsute d'Elyon, un cercle bleu se forma dans les briques, chatoyant comme du mercure et tourbillonnant comme des nuages.

Le cercle s'agrandit, se mit à vibrer, à se tordre, à gronder...

La porte ! songea Hay Lin, affolée. C'est le tunnel qui mène à la Zone Obscure du Non-

Lieu. Comme celui du gymnase ! Je dois le fermer ou sinon je vais disparaître !

Mais avant même qu'elle puisse songer au moyen de fermer cet ouverture béante, quelque chose surgit au milieu.

Une silhouette gigantesque... aussi large qu'une armoire à glace... avec une tête couverte de protubérances, des dents pointues d'un brun sale et la peau bleu vif.

C'était Vathek... l'ignoble créature qui avait failli tuer Hay Lin, Irma et Will dans le gymnase. Maintenant, il venait achever son travail !

« Tu as raison, petite, c'est un cauchemar ! rugit le monstre, avec des gargouillis dans la voix qui semblaient sortir d'un grand trou noir. Mais cette fois, tu ne m'échapperas pas ! »

Hay Lin recula à tâtons sur le sol et heurta le mur avec un bruit sourd. Elle se protégea la tête avec les bras, craignant les griffes de Vathek.

Elle imagina les mains traîtresses d'Elyon la tirant d'un coup sec vers la porte.

Et puis elle se remémora une dernière fois le visage de sa grand-mère.

« Aaaah ! » hurla-t-elle.

12

Will regarda Cornelia se diriger d'un air décidé vers le mur qui venait de jaillir du sol. Elle avait l'impression d'assister à un film qu'elle ne comprenait pas bien. Tout se passait si vite !

Mais quand elle vit Cornelia s'arrêter

devant le mur et le fixer du regard, les événements prirent soudain un sens.

Elles avaient bel et bien découvert la deuxième porte ! L'un des douze passages qui conduisaient vers ce monde dont la grand-mère de Hay Lin leur avait parlé.

Cette porte, de toute évidence, ne voulait pas être découverte. Voilà pourquoi cette paroi de briques s'était brusquement dressée sous leurs yeux, fermant l'accès au reste du tunnel.

Et, pour comble de malheur, elle avait séparé leur groupe. Les Gardiennes n'étaient plus que quatre dans la grande salle. Hay Lin avait disparu... prise au piège de l'autre côté de cet horrible mur, et elle était en grand danger.

Qui sait ce qui se cache encore derrière ce mur, se demanda Will. Les créatures de la Zone Obscure du Non-Lieu ? Une sorte d'aspirateur qui pourrait aspirer Hay Lin dans un autre monde ? Une nouvelle Elyon aux desseins malveillants ?

Will se posait mille questions et redoutait le pire. Mais toute cette incertitude renforçait en même temps sa détermination. Elle regarda tour à tour Irma, Taranee, puis Cornelia et sentit des liens invisibles les relier.

C'est la magie qui nous unit, se dit-elle. Je le sens. Et c'est ce qui va nous sortir de ce mauvais pas. À commencer par Cornelia et son pouvoir sur les substances terrestres !

Cornelia se tenait face au mur, les pieds fermement plantés sur le sol. Elle serra les dents, appuya les mains contre les briques, puis ferma les yeux très fort.

Will pouvait presque voir le courant magique palpiter à travers le corps élancé de son amie et jusque dans ses bras. De ses paumes émanaient ces ondes d'énergie cosmique sous forme d'anneaux verts maintenant familiers.

Un trou apparut dans le mur : une petite ouverture à travers laquelle Will ne vit que du noir. Mais elle sourit. C'est juste le début, pensa-t-elle, se préparant déjà pour la suite. Elle sentit son dos se raidir et serra très fort les paupières. Elle savait que Cornelia allait percer un large trou grâce à ses pouvoirs magiques et elle rassemblait ses forces en attendant l'avalanche de tessons de briques et de débris de mortier. Ses muscles se tendirent, prêts à bondir dès que la voie serait libre...

Soudain elle entendit un bruit terrifiant, comme si un monstre engloutissait une énorme bouchée de quelque chose ou qu'un aspirateur avalait des morceaux de matière solide. En tout cas, ce n'était pas le bruit d'un mur percé sans effort par un effet magique !

Will ouvrit les yeux et poussa un cri.

Le mur avait bien changé, mais le petit trou que Will avait vu ne s'était pas élargi. Au lieu de ça, une sorte de tentacule de briques en était sortie pour se projeter vers Cornelia avec la précision d'une langue de grenouille ! D'un seul coup, elle avala les deux mains de Cornelia, qui se trouvèrent prises dans un étau de brique plus efficace qu'une paire de menottes. Cet étau s'allongea, enserrant ses poignets et ses bras jusqu'aux coudes, puis se mit à la secouer dans tous les sens.

Cornelia ne cria pas... Elle jetait seulement des regards épouvantés par-dessus son épaule et ses grands yeux effrayés appelaient Will au secours.

« La maison est vivante ! cria Will à Taranee et Irma. Surtout, restons unies ! »

Tandis que les deux filles s'accrochaient à ses bras, Will essayait désespérément d'imaginer un plan. Mais avant même qu'elle ait pu formuler la moindre pensée, un autre mur surgit du sol dans un vacarme épouvantable.

Will fit un bond en arrière. Il était temps ! Devant elle venait de se dresser une énorme tour de briques. Pas un barrage horizontal comme le mur qui avait emprisonné Hay Lin, mais une pile de briques qui se mirent à grimper en vrille à toute allure entre Will, Taranee et Irma.

Will recula en titubant. Taranee sauta de côté, et Irma s'écarta si brusquement qu'elle atterrit sur les fesses, juste en face de Will.

« Sacrebleu ! » cria-t-elle.

Presque aussitôt, un autre mur s'éleva entre Irma et Will. Autant que Will pouvait en juger, il n'y avait que très peu d'espace entre le mur du tunnel et cette nouvelle paroi, et Irma était maintenant prisonnière dans une étroite cellule !

Will se retourna alors pour voir où était

Taranee. Ouf ! Elle était encore là !... Mais, une seconde après, Taranee fut attaquée à son tour. Cette fois, les briques s'enroulèrent autour de ses pieds, puis de ses jambes, de sa taille et de sa poitrine... Avant que Will ait pu réagir, son amie se trouvait enfermée dans un cylindre, comme si elle était tombée dans un conduit de cheminée. On ne voyait plus que sa tête.

Tandis qu'elle se précipitait vers Taranee, une paroi de ciment jaillit à quelques centimètres seulement de ses orteils et Will fut soulevée malgré elle à plus de trois mètres de hauteur ! Accrochée par le bout des doigts, elle resta suspendue au-dessus du vide, cherchant vainement un point d'appui avec les pieds... Le mur était complètement lisse !

Très vite, elle sentit ses doigts s'affaiblir. Elle jeta un coup d'œil en bas, par-dessus son épaule, espérant que le sol n'était pas trop loin. Si elle lâchait prise, peut-être qu'elle s'en tirerait avec une cheville foulée, ou juste quelques bleus et des éraflures.

Mais en regardant plus attentivement, elle ne vit pas de sol au-dessous d'elle. Il avait disparu. Elle allait tomber dans un abîme noir et sans fond !

« Non ! » hurla-t-elle.

Dans un effort désespéré, elle leva les jambes et, avec l'aide des pieds, essaya de grimper sur le mur. Tout en se démenant avec une énergie farouche, elle songea qu'un être redoutable se cachait peut-être de l'autre côté... Cette perspective l'effrayait encore davantage que l'abîme.

« Non ! » cria-t-elle à nouveau.

Comme si ça pouvait servir à quelque chose.

Ce combat est au-dessus de nos forces, se dit-elle. Je ne sais comment l'affronter. Sans mes amies à mes côtés, je n'ai aucune chance !

Agrippée au sommet du mur, Will sentait ses doigts se relâcher et sa volonté s'affaiblir.

Elle n'y arriverait jamais !

« Je suis désolée », murmura-t-elle, espérant que les autres filles l'entendraient d'une façon ou d'une autre.

Et puis elle s'immobilisa.

Dans sa tête, elle crut entendre comme une vague réponse.

Oui, quelqu'un lui répondait... Elyon !

Cessant de se débattre, elle resta simplement accrochée au mur et appuya sa joue contre les briques froides et moites.

Sa respiration se ralentit. Son cœur se mit à battre moins fort. Elle réussit à concentrer ses énergies magiques sur ce qu'elle entendait et à écouter de toute son attention.

Elle entendit alors les pensées de ses compagnes.

Sans pouvoir s'expliquer comment, elle sentit ses propres pensées l'abandonner un instant et se trouva transportée à l'intérieur de la conscience de Cornelia. Elle s'en rendit compte quand elle entendit Elyon s'adresser directement à son amie par télépathie :

« Ne lutte pas, Cornelia, murmurait la voix spectrale d'Elyon. Le Non-Lieu t'attend. »

Will perçut l'indignation de Cornelia, sa colère. Et, pour finir, comme un soupçon de curiosité.

« Ne l'écoute pas ! Ne renonce pas ! » voulut-elle lui dire.

Mais elle n'en eut pas le temps. Déjà, son esprit était entré en contact avec celui de Taranee.

« Inutile de te défendre, Taranee, lui soufflait Elyon.

— Aaaaah ! » cria Taranee, dont Will sentait l'esprit rempli de terreur et ne demandant qu'à être rassuré.

Taranee était fatiguée. Elle faiblit, se dit Will. « Taranee, ne... »

Mais, se trouvant soudain projetée dans les pensées d'Irma, elle ne put achever. Irma étouffait. Will perçut son désespoir.

« Ça ne sert à rien de lutter », répétait Elyon, s'adressant cette fois à Irma.

Will sentit clairement qu'Irma se laissait convaincre. Elle croyait Elyon et se jugeait perdue.

Will s'efforça silencieusement de la persuader : « Tu peux y arriver ! Ne cède pas ! »

Mais, au même moment, elle fut chassée de l'esprit d'Irma aussi mystérieusement qu'elle y avait pénétré. Elle était revenue dans son propre corps, ne devant sa survie qu'à la force de ses ongles.

Le mur auquel elle était suspendue commença à trembler et à gronder... Il essayait de lui faire lâcher prise. Elyon et les puissances du mal s'acharnaient sur elle et ses amies et ne reculeraient devant rien pour les enlever.

« Non ! » cria Will une dernière fois.

Et, tandis qu'elle poussait ce cri, elle sentit monter en elle une formidable énergie. Elle donna un grand coup avec ses jambes et s'imagina jaillissant d'une piscine avec la même grâce et la même puissance qu'un dauphin... et, miraculeusement, elle parvint à se hisser jusqu'au sommet du mur !

Elle passa un bras, puis l'autre, par-dessus le rebord et resta un moment en équilibre sur la poitrine. Enfin, elle cessa de battre l'air avec les pieds et desserra ses doigts éraflés. Elle était sauvée de l'abîme... Du moins dans l'immédiat.

Maintenant, il fallait trouver un plan.

À peine commençait-elle à y songer qu'une chaleur familière au creux de sa main droite retint soudain son attention. Elle tendit le poing et ferma les yeux. Elle sentit alors comme des décharges électriques monter dans son bras et inonder d'énergie son esprit et son corps.

Puis une grande secousse ébranla tout son être, accompagnée d'une douleur exquise et de bourdonnements dans la tête... La magie était à l'œuvre !

La première fois qu'elle avait éprouvé ces sensations, Will avait été terrifiée. Mais, maintenant, elle savait exactement ce qui se passait. Elle ouvrit les yeux tout grands et laissa la pensée consciente reprendre possession de son esprit.

« Nous devons nous battre, se dit-elle. Ça ne peut finir ainsi. Notre seule chance réside dans le Cœur de Kandrakar et dans nos pouvoirs magiques au maximum de leur puissance ! »

Puis, avec un mélange de force et de détermination extrêmes, elle ouvrit le poing et déplia les doigts. Un éclat de lumière rose jaillit de sa main. Elle plissa les yeux en essayant de voir au travers, et un large sourire illumina son visage.

Le médaillon venait d'apparaître juste au-dessus de sa main : une sphère de verre tourbillonnante, maintenue par une monture métallique étincelante.

C'était le Cœur de Kandrakar. Leur salut !

Will regarda le cœur palpiter sous ses yeux. Puis la sphère commença à se diviser. Quatre petites boules chatoyantes en forme de larmes se séparèrent du médaillon et se mirent à flotter dans son orbite. La première, bleue et scintillante, bondissait, pleine d'énergie.

La suivante, remplie de volutes orange, dansait comme la flamme d'une bougie.

La troisième, de couleur verte, jaillit dans un parfum d'herbe et de terre.

Et la quatrième, enfin, s'envola comme un tourbillon de fumée blanche.

Eau.

Feu.

Terre.

Et air.

Will regarda s'éloigner les petites boules − chacune contenant l'essence des pouvoirs des Gardiennes. L'orange se dirigea vers la tour où était emprisonnée Taranee. La bleue fila vers la sombre cellule d'Irma. La verte rejoignit Cornelia qui continuait à tirer désespérément sur ses bras enfermés. Quant à la blanche, Will la perdit de vue mais espéra qu'elle arriverait à traverser le mur de Hay Lin et à lui infuser ses pouvoirs magiques.

Finalement, Will se concentra sur sa propre sphère. Le Cœur de Kandrakar, rose, brillant et palpitant, l'éblouit et remplit son cœur de joie, de puissance et de chaleur. Elle sentit ses muscles se contracter. Des tourbillons d'énergie l'enveloppèrent comme un châle, la dépouillant de ses vêtements.

Un spasme secoua tout son corps, et elle se mit en boule. Par un réflexe de survie, elle s'accrocha au mur. Puis, lorsqu'elle sentit ses membres s'allonger et de délicates ailes se déployer dans son dos, elle laissa enfin son corps se détendre et elle se regarda.

Elle avait complètement changé. Elle portait son uniforme de Gardienne : les collants rayés, les bottes violettes, et une minuscule jupe dont la ceinture entourait le nombril en le laissant découvert.

Oui ! se dit Will.

Elle lâcha le mur, resta en suspens dans l'air un moment, puis atterrit... sur le sol ! Ses pouvoirs magiques, apparemment, avaient rendu au tunnel son aspect originel.

Elle regarda aussitôt autour d'elle et vit soudain Taranee jaillir de sa forteresse cylindrique. Ses cheveux flottaient autour de sa tête en vrilles chatoyantes et elle gonflait ses biceps.

« Libres ! cria-t-elle.

— Fortes ! » répondit Cornelia à l'autre bout de la pièce.

Will se retourna et vit Cornelia se dégager d'un coup du tentacule qui lui enserrait les bras, et les briques voler dans toutes les directions. Elle se dirigea vers Will et Taranee, libre et triomphante. Ses mèches blondes s'étaient allongées et étaient devenues plus soyeuses. Elle portait son haut moulant et sa longue jupe violette.

Ensuite, Will se tourna vers le mur qui emprisonnait Irma. Celle-ci était en train de le démolir à coups de poing et sans effort. En quelques secondes, elle le réduisit en un tas de gravats, qu'elle enjamba pour rejoindre ses amies sorcières.

« Et combatives ! » ajouta-t-elle d'un air conquérant.

Les filles restèrent un moment à se regarder les unes les autres, émerveillées par leur spectaculaire transformation. Puis, pleines d'espoir, elles tournèrent leurs regards vers le mur de Hay Lin.

Mais rien ne se produisit.

Oh, oh ! se dit Will, ce n'est pas normal. Pourquoi Hay Lin ne sort-elle pas de sa prison ?

On n'avait pas le temps de chercher une raison. Tout ce que Will savait c'est que si Hay Lin ne s'était pas libérée elle-même, elle avait besoin d'aide !

Alors Will passa à l'action. Elle lança à Taranee, Cornelia et Irma des regards décidés. Elles devaient se préparer à travailler ensemble.

« Tout va bien ? » demanda-t-elle.

Taranee regardait avec étonnement ses longues jambes musclées.

« C'est incroyable, s'écria-t-elle. Je suis... je suis... différente ! »

Cornelia aussi était ravie. Will avait oublié

que c'était la première fois qu'elles se voyaient dans leurs tenues de magiciennes.

Irma, bien sûr, se sentait très bien dans ce rôle.

« Génial, n'est-ce pas ? fit-elle en se déhanchant d'un petit air coquin. Et encore, ce n'est pas ce qu'il y a de mieux !

— Ah bon ? » dit Taranee.

Will regarda Irma serrer les poings et fixer le mur de Hay Lin de ses grands yeux bleus.

Comme Will, elle était prête à utiliser ses pouvoirs magiques pour enfoncer le mur et porter secours à Hay Lin, le dernier maillon de leur puissante chaîne... Leur camarade Gardienne. Leur amie.

Et tandis qu'elles se mettaient en rang, Will sentit ces liens magiques et invisibles qui se reformaient entre elles. Si nous travaillons ensemble, se dit-elle, il n'y a rien que nous ne puissions combattre. Rien que nous ne puissions accomplir.

Du moins, c'est ce que Will devait croire... si elle était appelée à sauver le monde.

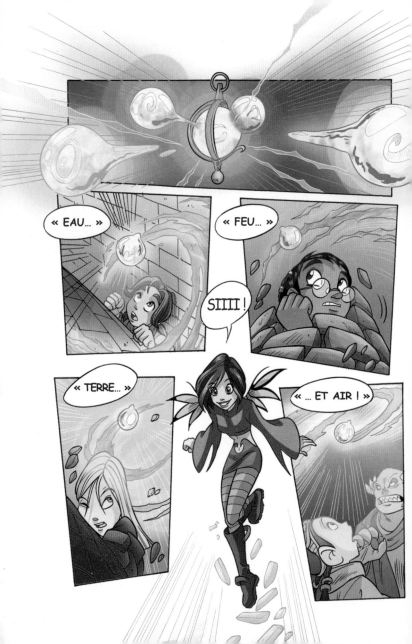

... LIBRES...

... FORTES...

... ET COMBATIVES!!!

TOUT VA BIEN, LES FILLES ?

JE TIENS UNE DE CES FORMES !

JE ME PLAIS BEAUCOUP EN SORCIÈRE, PAS VOUS ?

ÉPILOGUE.
LES MARAIS DE
HEATHERFIELD...

QUE DE
MOUSTIQUES,
LES FILLES ! ILS
NE PRENNENT PAS
DE VACANCES
EN CETTE
SAISON ?

BZZZZ BZZZ

SCIAFF
SCIAFF

IL N'Y A PLUS DE SAISON,
COMME DIT MON PÈRE !
IL PENSE QUE C'EST À
CAUSE DE LA...

SPAT

!

AÏE !

JE L'AI EU,
VEINARDE !

IL FAUT LE
RETROUVER !

TSSK ! SI TU
AVAIS CHOISI UN ANIMAL
DOMESTIQUE, ON NE SERAIT PAS EN TRAIN
DE PATAUGER !

D'ACCORD ! LE PROCHAIN QUI VOUDRA M'EMBRASSER, JE LE CHANGERAI EN **BULLDOG**, ÇA VOUS VA ?

PSST ! VENEZ JETER UN COUP D'ŒIL !

ÇA A DES **CHEVEUX** UN CRAPAUD ?

JE NE CROIS PAS HAY LIN ! POURQUOI ?

DANS CE CAS, JE CROIS QU'ON A RETROUVÉ ANDREW ! QU'EN PENSEZ-VOUS ?

OUAIIS ! SALUT ANDREW !

CROAK!

C'EST TOI QUI L'AS TRANSFORMÉ IRMA ! À TOI L'HONNEUR DE LUI RENDRE SON APPARENCE !

OUPS ! J'AI COMME UN DOUTE !

POUR QU'IL REDEVIENNE COMME AVANT, NE FAUT-IL PAS L'EMBRASSER ?

Retrouve les **5** *gardiennes de la Muraille, Will, Irma, Taranee, Cornelia et Hay Lin dans le premier épisode de leurs aventures :*

Le Médaillon magique